MIROIR MIROIR

vivre avec son corps

Un recueil de
30 témoignages par
Dre Stéphanie Léonard
psychologue

Photos
Maude Chauvin

ÉDITIONS
LASEMAINE

Éditions La Semaine

Charron Éditeur inc.
Une société de Québecor Média
955, rue Amherst
Montréal (Québec) H2L 3K4

Directrice des éditions :
Annie Tonneau
Coordonnateur aux éditions :
Jean-François Gosselin
Réviseures-correctrices :
Marie Théorêt, Audrey Faille,
Gaëlle De Rocquigny

Textes et entrevues:
Dre Stéphanie Léonard, psychologue
Photographe : Maude Chauvin
Design graphique : Éric Dubois
Recherche, coordination :
Dre Stéphanie Léonard, psychologue
Directrice photo : Catherine Gravel
Producteur : Jean-Sébastien Ouellet

Retoucheuse : Victoria Lord
Conseillère juridique :
Me. Johanne Daniel, Daniel & Associés
Maquillage et coiffure :
Gérald Bélanger, Sabrine Cadieux
Coiffure (page couverture) :
Jonathan Lee
Styliste : Sophie Chénier
Photographe (Véronique Cloutier) :
Pierre Manning
Consultante communication/marketing :
Mylène Senécal

Remerciements
Gouvernement du Québec –
Programme de crédit d'impôt
pour l'édition de livres –
Gestion SODEC

L'Éditeur bénéficie du soutien de la
Société de développement des entreprises
culturelles du Québec pour son
programme d'édition.

Nous reconnaissons l'aide financière
du gouvernement du Canada par
l'entremise du Fonds du livre du Canada
pour nos activités d'édition.

© Charron Éditeur inc.
Dépôt légal: quatrième trimestre 2015
Bibliothèque et Archives nationales du Québec
Bibliothèque et Archives Canada
ISBN: 978-2-89703-306-4

Distributeurs exclusifs

• Pour le Canada et les États-Unis :
MESSAGERIES ADP
*2315, rue de la Province
Longueuil (Québec) J4G 1G4
Tél. : 450 640-1237
Télécopieur : 450 674-6237
* Une division du Groupe Sogides inc.,
filiale du Groupe Livre Québecor Média inc.

• Pour la France et les autres pays :
INTERFORUM editis
Immeuble Paryseine, 3, Allée de la Seine
94854 Ivry CEDEX
Tél. : 33 (0) 4 49 59 11 56/91
Télécopieur : 33 (0) 1 49 59 11 33

Service commande France métropolitaine
Tél. : 33 (0) 2 38 32 71 00
Télécopieur : 33 (0) 2 38 32 71 28
Internet : www.interforum.fr

Service commandes Export —
DOM-TOM
Télécopieur : 33 (0) 2 38 32 78 86
Internet : www.interforum.fr
Courriel : cdes-export@interforum.fr

• Pour la Suisse :
INTERFORUM editis SUISSE
Case postale 69 — CH 1701 Fribourg — Suisse
Tél. : 41 (0) 26 460 80 60
Télécopieur : 41 (0) 26 460 80 68
Internet : www.interforumsuisse.ch
Courriel : office@interforumsuisse.ch

Distributeur : OLF S.A.
ZI. 3, Corminboeuf
Case postale 1061 — CH 1701 Fribourg — Suisse
Commandes : Tél. : 41 (0) 26 467 53 33
Télécopieur : 41 (0) 26 467 54 66
Internet : www.olf.ch
Courriel : information@olf.ch

• Pour la Belgique et le Luxembourg :
INTERFORUM BENELUX S.A.
Fond Jean-Pâques, 6B-1348
Louvain-La-Neuve
Tél. : 00 32 10 42 03 20
Télécopieur : 00 32 10 41 20 24

MIROIR MIROIR

vivre avec son corps

Un recueil de
30 témoignages par
Dre Stéphanie Léonard
psychologue

Photos
Maude Chauvin

ÉDITIONS
LASEMAINE

Une société de
Québecor Média

Dre Stéphanie Léonard
Psychologue

Titulaire d'un doctorat en psychologie, Dre Stéphanie Léonard est spécialisée dans le traitement des troubles de l'alimentation, des comportements alimentaires et de l'image corporelle. Sa solide formation scientifique et son expérience clinique font d'elle une personne-ressource hors pair dans le domaine des troubles de l'alimentation.

D'une part, Dre Stéphanie Léonard possède une solide formation scientifique, étant titulaire d'une maîtrise en psychiatrie de l'Université McGill, ainsi que d'une maîtrise et d'un doctorat en psychologie de l'Université du Québec à Montréal. Ses mémoires de maîtrise, sa thèse de doctorat ainsi que ses publications traitent tous de la problématique des troubles de l'alimentation.

D'autre part, sa pratique en clinique privée ainsi qu'à l'unité des troubles de l'alimentation de l'Institut universitaire en santé mentale Douglas, l'animation d'ateliers et de formations, de même que sa participation à divers projets dans le domaine des médias et des télécommunications lui confèrent une riche expérience clinique.

Dre Léonard a créé en 2010 le site Internet www.drestephanieleonard.com, une plateforme éducative portant sur les comportements alimentaires et l'image corporelle.

Excellente vulgarisatrice, elle participe régulièrement à plusieurs émissions de télévision et de radio et elle écrit dans divers magazines. Dre Stéphanie Léonard est depuis deux ans chroniqueuse à l'émission *Deux filles le matin* à TVA et a été collaboratrice hebdomadaire à *C'est Extra !* sur VTélé. Également très présente à la radio, elle a été chroniqueuse à l'émission *Champ Libre* sur la première chaîne francophone de Radio-Canada à Toronto. Elle participe aussi régulièrement à diverses autres émissions de télévision et de radio ainsi qu'à des séries documentaires, et collabore aux magazines *La Semaine* et *Moi & Cie*.

De plus, Dre Léonard est très impliquée auprès d'organismes tels qu'ANEB Québec et Équilibre, qui visent à éduquer, à démystifier et à soutenir les personnes aux prises avec un trouble de l'alimentation ou des enjeux liés à l'image corporelle.

Miroir Miroir est son premier livre.

Maude Chauvin

Diplômée en photographie
du Cégep du Vieux-Montréal avec
mention d'excellence, Maude Chauvin
vit et travaille à Montréal comme
photographe pour de
nombreuses publications
québécoises et agences de publicité.
Son travail se caractérise par
sa constante recherche d'authenticité
et sa facilité à saisir l'essence
de chaque sujet. Elle est
particulièrement reconnue pour
ses portraits de personnalités
publiques dans le domaine
culturel ainsi que pour ses nombreux
reportages culinaires.

Pourquoi ce livre ?

Combien de personnes autour de vous
sont réellement bien avec leur corps ?
Force est de constater qu'indépendamment
de leur taille ou de leur silhouette,
la majorité des gens sont insatisfaits
de leur corps.

Comment expliquer cette obsession
collective que nous entretenons face
au corps parfait ?

Nous avons de sérieuses questions
à nous poser et des réflexions à faire...
Afin de réussir à se sentir mieux,
mais aussi afin de léguer à nos enfants
une société qui favorise une estime
de soi plus saine.

Ce livre vise à éduquer, à démystifier,
pour se libérer et s'accepter.

ÉDUQUER en tâchant d'informer
et de vulgariser dans un monde où l'on
est bombardé d'information erronée,

DÉMYSTIFIER les fausses croyances
et les stéréotypes auxquels nous adhérons,

SE LIBÉRER de la pression
de correspondre à un idéal de beauté
irréaliste, et

S'ACCEPTER afin d'être mieux
avec soi-même et mieux dans son corps.

Miroir Miroir comprend des témoignages
et des textes de contenu.

LES TÉMOIGNAGES... J'ai eu le privilège
de rencontrer 30 de nos personnalités connues
qui ont généreusement accepté de me parler
de leur propre relation avec l'apparence, le corps
et l'alimentation. Derrière l'image magnifiée que
nous avons d'elles, ces personnalités représentent
souvent un idéal de beauté ainsi qu'un modèle
à suivre. Tout comme moi, vous pourrez constater
qu'à travers leurs histoires et parcours, chacun
aspire à être toujours plus en paix avec son corps.

Dans un café, sur un plateau de tournage,
à mon bureau et même parfois dans l'intimité
de leur chez-soi, ces 30 personnes se sont livrées
avec beaucoup de générosité et d'authenticité.
Je les remercie d'avoir accepté de participer
à ce beau projet !

Je leur ai aussi demandé ce qu'évoquait
pour elles la *beauté*, le *bien-être* et le *bonheur*.
Vous retrouverez, au fil du livre, des citations
qui relatent leurs propos.

Afin de saisir ces gens au-delà des mots, j'ai eu
l'immense plaisir de collaborer avec la talentueuse
photographe Maude Chauvin. Elle a su capter en
images la vulnérabilité et l'authenticité de chacun.

LES TEXTES... Les textes de contenu sont
de courtes chroniques portant sur des thèmes
d'actualité qui nous touchent tous dans le
rapport que nous entretenons avec notre corps :
D'où vient notre obsession pour le corps parfait ?,
Les hommes et leur rapport au corps, *Le piège
des régimes amaigrissants*, *Quand l'obsession
du corps devient une maladie* et *Mieux vivre
avec son corps*. Très humblement, j'espère que
la lecture de ces textes générera chez vous
des réflexions, des remises en question et, surtout,
une meilleure acceptation de votre propre corps.

Miroir Miroir est la concrétisation d'un grand
rêve. Le domaine des troubles de l'alimentation
ainsi que les préoccupations liées au corps et à
l'estime de soi corporelle sont une réelle passion
pour moi. Tous les jours, dans mon cabinet privé,
j'ai le privilège de pouvoir accompagner plusieurs
personnes dans leur cheminement vers le mieux-
être et l'acceptation de soi. D'une certaine façon,
ce livre me permet de vous accompagner, lecteurs
et lectrices, dans votre propre démarche.

J'écris ce livre en tant que psychologue, bien
sûr, mais aussi en tant que femme et maman...
Parce que nous vivons tous dans ce même monde
obsédé par le contrôle du corps et parce que
nous avons tous envie, je l'espère, que les choses
changent et de mieux Vivre avec Son Corps.

Dre Stéphanie Léonard, psychologue

Rencontres

Vivre avec son corps

**Chaque
personnalité
partage ce qu'évoque
pour elle la beauté,
le bien-être et
le bonheur.**

Coeur
de pirate

Cœur de pirate est le projet solo de Béatrice Martin, auteure-compositrice-interprète et pianiste lauréate de nombreux prix. Elle a lancé son premier album éponyme en septembre 2008, lequel a immédiatement été acclamé par la critique, autant au Canada qu'à l'international. En novembre 2011, Béatrice a lancé son deuxième album, *Blonde*, qui a également connu un grand succès critique et commercial, avant de signer, en 2014, la musique originale du jeu vidéo *Child of Light*, en plus d'enregistrer la bande sonore de la populaire télésérie québécoise *Trauma*. Ses albums se sont écoulés à plus d'un million d'exemplaires dans le monde entier. Elle revient en 2015 avec son troisième album, une collection de chansons à travers lesquelles l'auteure-compositrice-interprète élargit audacieusement ses horizons et modernise son approche.

C'est au fil de ma rencontre avec Béatrice que je découvre une jeune femme fascinante et passionnée. Souvent réservée lorsqu'il y a beaucoup de personnes autour d'elle, sa sensibilité la rend aux yeux de plusieurs très mystérieuse.

La relation que Béatrice entretient avec son alimentation est relativement compliquée, et ce, bien malgré elle ! Pour Béatrice, il semble qu'il y ait eu l'*avant* et l'*après* sa grossesse. Maman d'une petite fille de trois ans, Béatrice se rappelle que, avant d'avoir un enfant, elle se nourrissait un peu n'importe comment. Elle ne cuisinait pas et mangeait fréquemment du *fast food* sur la route. Non seulement elle n'était pas en forme, mais surtout, elle tombait très souvent malade. Sa grossesse l'a obligée à prêter une plus grande attention à son alimentation et lui a fait prendre conscience du lien direct entre les habitudes alimentaires et le bien-être personnel.

De plus, après son accouchement, Béatrice a développé de multiples allergies et intolérances alimentaires qui ont rendu la gestion de son alimentation plutôt compliquée. Elle s'est alors mise à craindre certains aliments parce qu'ils compromettaient son confort, sa santé et parfois même sa voix. Béatrice reconnaît être devenue rigide et me confie se sentir fréquemment coincée entre le plaisir qu'elle aimerait avoir en mangeant et le malaise potentiel qui peut s'ensuivre. Elle cuisine maintenant davantage et, la plupart du temps, évite les sorties au restaurant. En parlant avec elle de cet aspect de sa vie, je constate à quel point elle souhaiterait que tout redevienne simple comme avant...

Une conséquence évidente reliée à ses changements alimentaires est qu'elle a perdu du poids dans les dernières années. Béatrice admet que, il y a cinq ans, elle ne se sentait pas bien dans son corps et ne s'aimait pas beaucoup. Elle se rappelle avoir reçu plusieurs commentaires via les médias sociaux, et même dans la rue, de personnes qui critiquaient son apparence. À cette époque, elle avait tendance à se comparer avec les autres filles et à se dévaloriser. Elle me dit que le fait d'avoir un enfant l'a beaucoup aidée à relativiser ses préoccupations à l'égard de son image corporelle.

Béatrice se sent vraiment mieux avec son corps. Elle a incorporé l'exercice dans sa vie, et ce, principalement dans le but d'être en forme lorsqu'elle donne ses spectacles. Elle reconnaît toutefois qu'il est presque impossible de ne pas être affecté par la pression culturelle de correspondre à un certain modèle de beauté. Selon elle, les médias sociaux amplifient grandement cette pression en permettant à de purs inconnus de la critiquer physiquement. Qu'elle reçoive des commentaires prétendant qu'elle est trop mince ou trop grosse, Béatrice garde la tête froide en demeurant très consciente qu'être une personnalité connue ouvre la porte à ce type de comportements.

« Le bien-être, ça touche à quelque chose que je n'ai pas souvent, mais que j'essaie de retrouver au jour le jour parce que c'est important. »

Au moment où l'on se parle, je la sens moins soucieuse de l'opinion d'autrui. Et à propos de la pression culturelle liée à l'apparence, elle me confie même être encouragée par ce qu'elle considère comme des améliorations. Elle me cite en exemple qu'un personnage comme Elsa dans *La Reine des neiges* est beaucoup plus inspirant qu'Ariel la petite sirène. De la même manière, elle évoque la rafraîchissante diversité corporelle chez les comédiennes et chanteuses dans le film *La note parfaite*. Selon elle, nous avons grandement besoin de modèles de filles et de femmes qui fondent leur confiance en elles, sur qui elles sont et non sur leur apparence.

Merci, Béatrice, pour ta générosité, ta franchise et aussi ta sensibilité – celle qui t'isole parfois, mais surtout celle qui te fait écrire de magnifiques chansons.

« Pour moi, la beauté, ça évoque quelque chose de classique, d'intemporel, de touchant. Et il y a quelque chose d'intérieur aussi ; et c'est ce qu'on oublie la plupart du temps. »

« Le bonheur,
c'est une quête, la plus
importante. Que ce soit
pour soi-même ou pour
les autres, c'est un
testament de courage
et c'est tellement beau
quand on réussit
à le trouver. »

Louis-François Marcotte

« Les mots qui représentent le mieux la beauté pour moi sont simplicité, sérénité et bien-être. »

À la suite de ses études à l'ITHQ, Louis-François s'est lancé en affaires avec ses multiples restaurants, sa cabane à sucre et, plus récemment, son poste de vice-président restauration des restaurants La Cage aux Sports. Visage très connu dans le monde de la télévision, il est à la barre de son émission culinaire *Signé M*, a son propre magazine et a publié sept livres de cuisine.

L'image que je me faisais de Louis-François, celle de l'homme convivial, rassembleur et épicurien, se confirme dès mes premiers instants avec lui. Il a d'ailleurs décidé de me recevoir « chez lui », à ses bureaux situés au cœur d'un de ses restaurants.

Un réel tourbillon se dresse autour de lui lorsque je l'observe entouré de toute une équipe qui le sollicite. Malgré son horaire d'homme extrêmement occupé, il a su me consacrer une heure où nous avons discuté alimentation et image corporelle, et ce, de manière très authentique. En fait, le thème de l'alimentation passionne incontestablement Louis-François.

Avant même de me faire des confidences ou de me parler de lui, Louis-François me jase recettes. Et il me les donne toutes ! Il est évident que l'alimentation occupe une grande place dans sa vie. Il adore manger et surtout BIEN manger ! Sa relation avec les aliments est empreinte d'une réelle passion et d'un intense plaisir. Toutefois, il reconnaît être en quête de l'équilibre parfait entre manger sainement et se laisser aller à davantage de « décadence ». Il me surprend en m'expliquant qu'il doit s'imposer une certaine retenue, et ce, surtout parce qu'il n'est pas uniquement entouré d'aliments bons pour la santé. En effet, la gestion de ses restaurants l'expose à des gâteries sur une base quotidienne. Malgré cela, le défi pour lui est de toujours conserver la notion de plaisir.

Je suis vraiment curieuse... Un chef, ça mange quoi les soirs de semaine ordinaires ? Louis-François soutient que, la semaine, il a tendance à manger plus santé, comme du poisson et une belle salade. Les fins de semaine sont habituellement plus permissives. Il adore les fruits, les charcuteries et les fromages. Il ne consomme pas de produits allégés et me vante plutôt les atouts des produits réguliers qui ont bon goût et qui possèdent la bonne texture.

Louis-François a développé un grand intérêt et une réelle passion pour les aliments qu'il peut acheter auprès de fermiers et de cultivateurs d'ici. J'apprends aussi qu'il a un faible pour les May West, la réglisse et qu'il aime la mayonnaise en pot ! Ce n'est pas tout... J'ai même droit à une anecdote ! Son panier d'épicerie étant généralement scruté à la loupe lors de ses passages au supermarché, Louis-François s'est déjà organisé pour qu'on lui achète un bon Kraft Dinner qu'il a ensuite savouré avec nostalgie !

J'avoue avoir été agréablement surprise par l'équilibre et la simplicité qui se dégagent de Louis-François. En le questionnant sur les origines de sa relation avec l'alimentation, j'apprends qu'il est issu d'une famille qui maintient depuis toujours une relation très équilibrée avec les aliments. Louis-François me décrit sa mère comme étant une femme saine d'esprit qui a su inculquer à ses deux fils une culture alimentaire tout aussi saine.

Notre conversation bifurque alors sur la relation que Louis-François entretient avec son apparence. D'emblée, il semble très à l'aise avec son corps. Il considère qu'il doit se soucier de son apparence, car il évolue dans le monde des médias où une importance extrême est accordée à l'image. Toutefois, indépendamment de son métier, il reconnaît qu'il est important pour lui de se sentir bien dans son corps. Il se qualifie spontanément d'assez naturel. Il aime donc bien paraître, mais sans en faire une obsession.

La question qui tue : son apparence de beau garçon a-t-elle joué un rôle dans son succès ? Louis-François me répond humblement et honnêtement qu'il est certain que oui. « À compétence égale, on va se le dire, on aime vraiment mieux se faire enseigner des recettes par un chef beau à regarder que l'inverse ! »

Louis-François n'est pas du genre à passer plusieurs heures à s'entraîner dans un gymnase. Même en ce qui concerne l'activité physique, Louis-François est beaucoup dans le plaisir. Il fait le Grand Défi Pierre Lavoie, ce qui le motive et donne un sens à son entraînement. De la même manière, il a commencé à faire du yoga et aime se pousser à sortir de sa zone de confort.

« Il y a un côté de moi que les gens connaissent moins. Je suis un gars très calme, mais je pense que la meilleure image est celle du canard : parfois, je peux rouler en dessous, pédaler, mais ça ne paraît pas beaucoup. »

Ses priorités sont pour l'instant sa famille et son travail, et bouger peut aussi être tout simplement de prendre le temps de corder du bois les fins de semaine au chalet.

Louis-François partage alors avec moi ses opinions sur l'image corporelle malsaine véhiculée par les médias. Selon lui, il est primordial que le sujet de l'image corporelle soit abordé plus fréquemment et surtout de façon plus transparente. Il m'explique que le public aime voir le beau et s'accroche à une image qui peut souvent être loin de la réalité ; et la réalité n'est pas ce que l'on voit à la télévision !

Ce sujet semble réellement l'interpeller. Par exemple, il y a quelques années, Louis-François a su mettre à profit son expertise et sa notoriété en participant à la création d'un excellent documentaire intitulé *Bouffe ou malbouffe* diffusé à Canal Vie. Ce documentaire visait à mettre en lumière le problème de la malbouffe dans les écoles. Cette mission a d'ailleurs pris tout son sens depuis qu'il a été embauché par la chaîne de restaurants La Cage aux Sports pour revamper leur menu.

Puisqu'il est papa de Gabriel et de Florence, je suis curieuse de connaître son opinion sur les façons de mieux outiller nos jeunes garçons et nos jeunes filles quant à leurs habitudes alimentaires. Louis-François affirme que l'on n'apprend pas à bien manger à 18 ans, mais plutôt à 2 ans ! La responsabilité revient donc aux parents d'inculquer les bons choix ainsi que les bonnes habitudes alimentaires à leurs enfants. De cette manière, les enfants les reproduisent instinctivement. La base d'une culture alimentaire saine est que bien manger soit associé au plaisir. Quant à l'acquisition d'une image corporelle positive, selon lui, cet aspect découle directement d'une bonne confiance en soi. Là aussi, les parents ont un rôle important à jouer !

« Le bien-être,
ce que ça représente
pour moi,
c'est l'équilibre
corps-esprit. »

15,6 millions d'interventions esthétiques ont été performées aux États-Unis en 2014.

Plastic Surgery
Statistics Report, 2014.

France
Castel

« Le bonheur, c'est ici, maintenant. C'est savoir lâcher prise. Aussitôt que tu lâches prise, il y a du bonheur partout... il suffit de l'attraper. »

France est une des plus grandes dames du paysage télévisuel et cinématographique québécois. D'abord chanteuse, elle a été soliste, a enregistré ses propres chansons et a joué dans *Starmania*. En 1979, elle entame sa carrière d'actrice à la télévision. Depuis, elle a participé à près d'une quarantaine de productions au fil des années et joué dans une trentaine de films. Plus récemment, elle s'est illustrée comme animatrice à la télévision. France est mère de trois enfants et est une fière grand-maman.

« La beauté, c'est la grâce... dans tous les sens du mot. »

Je suis tout d'abord épatée par ce que dégage France. Elle est non seulement très belle, mais en plus elle captive par la force qui émane d'elle.

France utilise les termes suivants pour décrire sa relation avec l'alimentation : *réconfortante, nourricière* et *symbole de vitalité*. D'une part, dans le quotidien, France mange bien. Elle adore cuisiner et recevoir. En même temps, elle m'explique que sa relation avec l'alimentation n'est pas simple. Elle me confie qu'elle mangerait toujours, qu'elle mange vite et qu'elle ne ressent pas la satiété, et ce, surtout lorsqu'elle vit du stress ou s'ennuie. Elle fait d'ailleurs un lien basé sur son passé de toxicomane, en m'expliquant que certains aliments, particulièrement ceux qui sont salés et gras, lui rappellent l'effet de la drogue. Consommer ces aliments vient à combler un vide ou à panser quelque chose.

Anecdote qui illustre bien la fonction de l'alimentation chez France... La journée de notre entretien, elle s'était blessée au dos et était non seulement souffrante, mais aussi très pressée. Ce qui a eu pour effet d'influencer ses choix alimentaires afin de se réconforter et de s'apaiser.

France n'a jamais souffert d'un trouble de l'alimentation, mais reconnaît avoir vécu une période très restrictive sur le plan alimentaire lorsqu'elle consommait. Elle ne consomme plus depuis plus de 25 ans.

Lorsque nous abordons la relation qu'elle entretient avec son corps, France déclare qu'elle veut vieillir au naturel. Elle n'a subi aucune intervention chirurgicale esthétique malgré le fait que la majorité des femmes de sa génération évoluant dans le domaine télévisuel y aient succombé ! Elle préfère investir son énergie sur sa vitalité et non sur la tentative de freiner son vieillissement. Elle m'inspire d'ailleurs beaucoup en me faisant réaliser que les signes de vieillissement peuvent être synonymes de sagesse et, oui, de vraie beauté !

À maintenant 71 ans, elle m'explique qu'elle a peur de vieillir, non en lien avec la beauté esthétique, mais plutôt à l'égard du déclin de la santé. Pour France, vieillir consiste en une série de deuils, comme la baisse d'énergie et l'apparition des petits bobos.

Je constate avec admiration qu'elle est peu affectée par la pression culturelle de paraître plus jeune. Elle me confie s'être toujours foutue de cet aspect. Elle m'avoue même qu'aller à l'encontre de la pression sociale colle bien avec son petit côté « baveuse » et rebelle. « Si ça ne se fait pas, eh bien, je vais le faire ! » me dit-elle avec enthousiasme.

Elle aimerait que les médias nous exposent à une plus grande diversité de corps, ce qui correspondrait mieux à la réalité. Elle remarque également que peu de gens se risquent à parler de la relation qu'ils entretiennent réellement avec l'alimentation.

France vit bien, dans son rapport avec elle-même, avec le corps qu'elle possède. Elle admet néanmoins que de se voir vieillir à l'écran n'est pas facile. C'est pour cette raison qu'elle visionne rarement ses passages à la télévision. Elle constate avoir fait le deuil de l'approbation d'autrui et tâche de mettre son énergie ailleurs.

L'exercice physique n'est pas pour elle associé au plaisir. Le principe de l'obligation lui est d'ailleurs aversif. Elle est toutefois une femme active et fait des efforts dans ce domaine ; elle marche beaucoup et s'adonne à des sessions d'entraînement deux fois par semaine.

Ses réflexions sur le défi auquel font face les jeunes d'aujourd'hui ? À travers la famille et le contexte de l'école, les jeunes doivent accepter leurs différences et réaliser qu'il existe toutes sortes de beautés. Selon elle, l'équilibre passe par la notion d'être en accord avec qui l'on est réellement. Inspirant !

« Le bien-être,
c'est l'acceptation de soi,
c'est avoir du respect
pour qui l'on est
et c'est passer à travers
les étapes de la vie
et les accepter. »

Saskia
Thuot

« La beauté corporelle, pour moi, c'est la façon dont on aborde les gens, la façon dont on leur parle, la façon dont on les regarde dans les yeux, la façon dont on serre une main. »

Que ce soit à la barre de l'émission *Décore ta vie* dont la quinzième année sera en ondes à la rentrée 2015 de Canal Vie, dans le magazine *C'est Extra* ou à l'animation de l'émission *Comment rénover... sans trop se chicaner !*, on l'aime pour sa bonne humeur contagieuse, sa curiosité et sa sympathique spontanéité. On peut également la suivre à travers son blogue sur son site Web et à travers ses chroniques santé dans le journal *Métro*. Elle anime aussi *Des rénos qui rapportent gros* ainsi que *Ma maison Rouge Canal Vie*, dont elle partage l'animation avec son conjoint Pierre-Alexandre Fortin. Auteure de l'ouvrage à succès *Objectif poids santé après 40 ans*, elle présentera bientôt un deuxième livre. Finalement, elle nous accompagne tous les matins à Rythme FM, aux côtés de Jean-François Baril.

« Le bien-être, pour moi, ça signifie le plaisir. Ça signifie de profiter de chaque instant et de s'écouter. »

Je ne vous le cacherai pas, Saskia est une bonne amie. Mais quel plaisir j'ai eu à la questionner sur un sujet qui l'interpelle autant ! Saskia est une femme pleine de vie, qui se sent bien dans son corps et surtout bien dans sa vie. Maman d'un garçon de 10 ans et d'une fille de 7 ans, elle admet qu'elle voue maintenant un très grand respect à son corps. Mais cela n'a pas toujours été le cas...

Côté alimentation, elle associe à présent bien manger à se *sentir* bien, ce qui semble la motiver à maintenir de saines habitudes alimentaires. Saskia aime la bonne bouffe et le bon vin, surtout partagés entre amis ! Elle reconnaît toutefois avoir changé certaines de ses habitudes dans les dernières années, comme boire plus d'eau, manger plus de légumes, manger plus lentement et mieux écouter ses signaux de faim et de satiété.

Elle reconnaît aussi avoir déjà tenté de faire attention à ce qu'elle mangeait en étant plus restrictive dans le but de perdre du poids, mais jamais sous la forme de régime draconien. Aujourd'hui, elle semble plutôt viser un équilibre, en restant toujours connectée avec le plaisir de manger. Elle ne saute pas de repas, part avec ses collations dans sa sacoche et ne se prive pas de gâteries lorsqu'elle en a envie.

Parallèlement à cela, l'activité physique a toujours fait partie de sa vie. Elle a besoin de bouger plusieurs fois par semaine. Elle adore aller marcher et courir à l'extérieur. Elle m'explique que cela constitue un moment pour elle et pour faire le point. Là aussi je détecte une évolution... Elle semble s'être libérée du sentiment d'obligation qui l'habitait auparavant et plutôt viser à profiter d'un moment pour elle et du bien-être que cela lui procure.

Est-elle toujours habitée par une envie de perdre du poids ? Pas du tout. En l'écoutant me parler de sa relation avec son corps, je réalise qu'elle a fait un grand bout de chemin sur ce plan.

« Le bonheur se situe dans toutes sortes de petites choses sympathiques, comme une fleur, un bon moment entre amis, un enfant qui rit... »

Elle se sent beaucoup plus en harmonie avec ses rondeurs. Elle me confie, en guise d'exemple, se sentir bien à l'idée de porter un veston court qui ne la camoufle pas – ce qui n'a pas toujours été le cas. Le milieu télévisuel dans lequel elle évolue est rigide et n'encourage pas la diversité de l'image corporelle. Elle s'est d'ailleurs déjà fait dire qu'elle ne réussirait jamais dans ce domaine en raison de ses rondeurs ! Saskia est consciente que, pour la plupart des femmes, elle représente une « vraie » femme et non un modèle irréaliste et inaccessible.

Lorsque je l'interroge sur la pression sociale et culturelle d'être mince, je la sens plus tendue. C'est une cause qui lui tient à cœur et elle se dit exaspérée par les critères de beauté actuels. Comment peut-on contribuer à faire avancer la cause ? Selon elle, il faut ouvrir le discours sur ce sujet, faire la promotion d'une image corporelle diversifiée et favoriser le développement de l'estime de soi autrement qu'à travers l'image corporelle. Elle espère contribuer à faire changer les choses.

Depuis deux ans, Saskia est impliquée auprès de l'organisme Équilibre pour la semaine « Le poids ? Sans commentaire! ». Et ironiquement, il n'y a pas si longtemps, Saskia a fait beaucoup parler d'elle justement parce qu'elle se positionnait par rapport à un commentaire désobligeant qu'elle avait reçu quant à son poids sur les médias sociaux. La prise de position de Saskia a fait beaucoup réagir, car elle a mis en lumière ce que malheureusement plusieurs personnes vivent quotidiennement. Son geste a aussi permis d'ouvrir de multiples débats et de générer d'intéressantes réflexions.

Notre entretien tire à sa fin. Je reste avec l'idée que Saskia a beaucoup évolué ces dernières années et que sa relation avec l'alimentation et son corps est saine et équilibrée. L'important pour elle est d'être à l'écoute de ce dont elle a envie, autant dans son assiette que dans sa vie ! Inspirante, mon amie.

Julie
Bélanger

« Quand je pense
au bien-être, je me
vois au bord
d'un feu de foyer
avec des gens que
j'aime et une bonne
bouteille de vin. »

À la télé, elle fait d'abord sa marque à l'émission *Deux filles le matin*, et ce, pendant cinq années. À l'été 2010, elle plonge dans un nouvel univers, celui de la gastronomie, en coanimant, aux côtés du chef Daniel Vézina, l'émission *Les chefs !* à Radio-Canada pendant trois ans. À la radio, c'est avec Paul Arcand qu'elle fait ses débuts sur les ondes montréalaises, à titre de chroniqueuse culturelle. En 2008, elle fait par la suite son entrée à Rythme FM. En 2010, elle se dévoile davantage et lance son premier album en carrière, à titre d'auteure-compositrice-interprète : *S'il n'y avait pas toi*. Depuis l'automne 2013, elle a renoué avec les entrevues et le divertissement en acceptant avec bonheur de coanimer l'émission *Ça finit bien la semaine*, aux côtés de José Gaudet.

« Mes grands
moments de bonheur
sont toujours
autour d'une table
avec les gens
que j'aime. »

Dotée d'un regard profond, vrai et authentique, Julie dégage une douceur et un calme évidents. Elle me confie dès le début de notre entrevue être particulièrement touchée par la problématique des troubles de l'alimentation, car certaines personnes proches d'elle en souffrent.

Pour Julie, l'alimentation est sans équivoque reliée au plaisir. Épicurienne assumée, elle aime bien manger et bien boire. Julie n'a jamais fait de régime amaigrissant, ne calcule pas les calories ni les portions et écoute ses goûts et ses envies. Elle ressent et respecte bien les signaux de faim et de satiété que son corps lui transmet.

Je la questionne alors sur ses habitudes quotidiennes... Julie mange trois repas par jour et, à la suite de notre rencontre, a intégré les collations (à mon grand bonheur !). Elle privilégie la combinaison de protéines et de légumes. Le vendredi est habituellement la soirée pizza et le sushi est au menu au moins une fois par semaine. Julie affectionne particulièrement les gâteries salées; elle garde d'ailleurs chez elle des chips qu'elle mange lorsqu'elle en a envie. De plus, Julie aime cuisiner avec son amoureux. Et si elle va au restaurant avec des copines, elle m'assure qu'elle choisit toujours ce dont elle a réellement envie, et ce, sans culpabilité !

Jusqu'au début de l'âge adulte, Julie ne s'était jamais vraiment préoccupée de son poids et de son alimentation. C'est à l'âge de 20 ans, au terme de son cégep, qu'elle quitte la maison et qu'elle constate avoir pris du poids. Elle a alors commencé à faire de l'activité physique et à mieux s'alimenter.

Elle relate avoir vécu une période, il y a quelques années, où elle était davantage investie dans le contrôle de son alimentation. Durant cette période où elle était plus triste et critique par rapport à son corps, elle me confie avoir eu l'impression de frôler l'état psychologique de l'anorexie. Ce fut suffisant pour la conscientiser à modifier son comportement.

« Quand je pense à la beauté, je ne pense pas aux filles et aux gars parfaits... je pense à la mer. »

Elle se sent maintenant beaucoup mieux à l'endroit de son corps, même si parfois elle peut être très critique envers elle-même. Elle déclare, par exemple, qu'elle n'aime pas avoir des « poignées d'amour ». La différence, à présent, est que cet inconfort passager ne l'empêcherait pas de manger. Elle se tourne plutôt vers le sport pour retrouver un équilibre et se sentir mieux. Et même à l'égard de l'exercice physique, je perçois une souplesse chez elle. Julie admet ne pas être constante; pendant six mois, elle peut faire du jogging trois fois par semaine et ne plus rien faire pendant quatre mois.

Julie m'explique qu'à la base elle est une fille de radio et que, à ses yeux, ce rôle engendre moins de pression que celui d'animatrice à la télévision. En ce qui concerne l'image corporelle, faire partie du monde télévisuel a été associé pour elle à un regard plus sévère envers elle-même. Malgré cette pression de plaire et de correspondre à un certain idéal de beauté, elle n'a pas fait de régime pour autant.

Sa position à l'endroit de la chirurgie esthétique ? Elle considère que ce n'est pas pour elle. Elle veut réellement lutter pour ne pas céder à la tentation. Elle m'explique que son but est plutôt d'apprendre à s'aimer et à s'accepter même s'il peut être tentant par moments de suivre la vague.

Faisant référence à une personne qui l'inspire beaucoup par rapport à l'image corporelle, Julie me parle avec grand respect de sa mère qui, sans aucune intervention quelconque, est belle et rayonnante. Un magnifique exemple pour elle.

Dans la vie de tous les jours, Julie porte souvent un jeans avec un t-shirt. Elle n'est pas du genre à « s'arranger » pour aller à l'épicerie par souci de ce que les gens vont penser d'elle. D'ailleurs, elle me confie qu'elle n'aime pas l'image de l'animatrice givrée.

Elle conserve comme défi d'acquérir une plus grande stabilité dans son équation « bouffe-sport ». Quant au sport, elle aimerait être plus assidue, car sur le plan de l'alimentation, se priver n'est assurément pas une option qui lui convient !

Nous abordons les stratégies qui pourraient contribuer à véhiculer une image corporelle plus positive. Elle trouve ce sujet difficile, car, selon elle, un des rôles importants de la télévision est de vendre du rêve et que dans ce contexte tout le monde essaie de paraître à son meilleur. À son avis, il n'existe pas de solution miracle puisque nous sommes conditionnés à vouloir du beau. Un pas dans la bonne direction consisterait à présenter des femmes plus rondes et d'apparences plus diversifiées.

Julie me raconte alors une anecdote personnelle… À l'âge de 22 ans, lorsqu'elle travaillait à Télé-Québec, son patron lui avait fait un commentaire désobligeant concernant une de ses dents qui était croche. Malgré ce commentaire, Julie a attendu plusieurs années (quand elle a commencé la coanimation de *Deux filles le matin* à TVA) pour effectuer ce changement !

Nous en sommes à la fin de notre délicieux repas et de notre fort fascinante conversation. Julie conclut que les fondements d'une bonne relation avec l'alimentation et l'image corporelle sont sans équivoque l'estime et l'amour de soi. Logiquement, le rôle revient aux parents d'enseigner à leurs enfants à s'estimer et à s'aimer. Mais Julie n'exclut pas que d'autres formes d'aide puissent également être très bénéfiques. Elle-même a d'ailleurs fait une psychothérapie, il y a quelques années, dans le but de mieux s'aimer et d'apprivoiser son perfectionnisme. Je souris à l'idée que cette confidence en inspirera plus d'un. Merci Julie.

L'apparence et la silhouette sont les principales cibles d'intimidation chez les adolescents.

Davis, S. et C. Nixon (2010). «Youth Voice Research Project, Preliminary results». PA: Penn State Erie, The Behrend College.

Félix-Antoine Tremblay

« Pour moi, la beauté est synonyme de générosité. »

Depuis son tout jeune âge, Félix-Antoine est impliqué dans mille et un projets. Collaborateur pour l'émission *Alors on jase !* à Radio-Canada, il est diplômé de l'option théâtre du collège Lionel-Groulx. Curieux et passionné, le cinéma, la télé, la scène et les arts font partie de sa vie. Originaire de Chicoutimi, il quitte sa région natale à 17 ans avec le désir de tout changer. Il amorce sa carrière de comédien dans *Starbuck*, un film salué par la critique. Aussitôt, on lui octroie le rôle de Jessie dans *Mémoires vives* aux côtés de Maude Guérin. Sur la scène en février 2014, Félix-Antoine a prêté sa voix au personnage de François dans *2 h 14* et a interprété Momo dans l'adaptation théâtrale d'*Orange mécanique*. On peut voir Félix-Antoine dans le téléroman *Le chalet* à Vrak, le coup de cœur jeunesse du moment.

« Bien-être veut dire
"équilibre". »

Je garde de très bons souvenirs de ma touchante rencontre avec Félix-Antoine. Animé, drôle et bien dans sa peau, il a néanmoins un parcours qui le prédisposait à un rapport au corps conflictuel.

Enfant unique et élevé par des parents séparés, Félix-Antoine dit avoir été fréquemment témoin des excès et dépendances de ceux-ci. En fait, sa mère a souffert pendant plusieurs années d'anorexie et de boulimie. Lorsqu'il était enfant, sans savoir que sa mère avait un trouble de l'alimentation, il réalisait tout de même qu'il y avait un problème. Régulièrement, par exemple, après les repas, il entendait sa mère se faire vomir dans les toilettes ; il montait alors le son de la télévision...

Félix-Antoine me confie qu'il a toujours eu l'impression d'être un réel pilier pour sa mère et que, parfois, cela s'accompagnait d'un lourd sentiment de responsabilité. D'un côté, il a toujours été habité par un fort désir d'aider sa mère et de la soutenir dans la maladie. D'un autre côté, surtout à l'adolescence, il me dit avoir ressenti le besoin de se détacher, pour lui-même être en mesure de prendre son envol. Malgré tout, il voue un amour inconditionnel à sa mère et, encore à ce jour, la soutient du mieux qu'il le peut.

Touchée par son histoire, je constate que la réaction de Félix-Antoine aux difficultés de sa mère a été de se protéger et de ne pas emprunter le même chemin... D'ailleurs, malgré son trouble de l'alimentation, sa mère a toujours eu le souci de n'interdire aucun aliment à la maison et de ne pas parler ouvertement de ses préoccupations avec son fils.

Jusqu'à tout récemment, Félix-Antoine n'accordait pas d'importance particulière à son alimentation. Par contre, il en est venu à réaliser qu'il devait faire des choix par souci d'énergie et pour favoriser son sommeil. Il entretient maintenant un rapport sain avec l'alimentation. Il n'a pas cessé de manger ce qu'il veut, mais réfléchit davantage à ses choix alimentaires. Cuisiner est un réel plaisir pour lui, tout comme pouvoir manger sans que ce soit compliqué et calculé.

En ce qui concerne le rapport au corps, Félix-Antoine est d'avis qu'il n'est pas malsain d'être conscient de son image. C'est lorsque nos préoccupations sont excessives que cela devient un problème. Pour sa part, durant son adolescence, inscrit dans un programme « sport-étude », Félix-Antoine dansait et était entouré de garçons et de filles très en forme. Il y a cinq ans, il a arrêté de danser, a pris du poids et a été confronté à une nouvelle réalité : son corps qui se met à changer. Après une période sans entraînement et de laisser-aller (une sorte de crise d'adolescence sur le tard, selon ses dires), il a décidé de renouer avec l'exercice physique. Il m'explique que ce retour à l'entraînement vise à se sentir actif et bien dans sa peau et non à obtenir un corps parfait.

Comment gère-t-il la pression culturelle ? Il me confie essayer de ne pas se laisser influencer et que cela peut même constituer un combat que de ne pas se laisser imprégner par la pression culturelle et rester authentique. Je vois qu'il a réellement envie de se sentir bien et que cela est plus important que le fait de correspondre à des critères de beauté spécifiques.

Afin d'être bien dans sa peau, Félix-Antoine me dit avoir décidé de miser sur sa personnalité et moins sur son *look*. C'est d'ailleurs ces conseils qu'il donnerait aux jeunes... Tâcher d'être en harmonie avec qui l'on est, de se comparer le moins possible, d'accepter sa différence et de mettre l'accent sur ce que l'on a de positif. Selon lui, la beauté est dans la diversité et c'est là que l'on peut voir l'unicité de chaque personne. Tellement vrai. Merci Félix-Antoine !

« Pour moi, le bonheur, c'est la simplicité. »

Patrice
Robitaille

« Le bien-être,
c'est de s'assumer.
D'assumer qui
l'on est autant
physiquement
que par rapport
à nos idées. »

Diplômé du Conservatoire d'art
dramatique de Montréal, Patrice fait
partie intégrante du paysage de la
télévision québécoise depuis plusieurs
années. On a pu le voir dans les séries
Les Boys, *30 vies*, *Toute la vérité*,
Les beaux malaises, *Prozac*, *Les
pêcheurs* et *Patrice Lemieux 24/7*.
Il a aussi été très présent sur
les planches de nombreux théâtres
de Montréal et dernièrement il a joué
dans *Cyrano de Bergerac*, *Le prénom*
et *La Vénus au vison*. Patrice a également
participé à titre de coscénariste à l'un
des projets ayant marqué le cinéma,
soit le film *Québec-Montréal* ainsi qu'à
Horloge biologique. Depuis, il a fait
partie de plusieurs distributions dont
Frisson des collines, *La petite reine*,
Les doigts croches, *Paul à Québec*
et *Le Mirage*.

Ma rencontre avec Patrice fut fort intéressante et rafraîchissante. En plus de se dévoiler avec beaucoup d'aisance, Patrice m'a fait rire au point d'en avoir mal aux joues ! À mes yeux, Patrice est un heureux mélange de dérision, de talent fou et du papa réconfortant.

Grand gaillard de six pieds trois pouces, Patrice est très à l'aise avec son corps et en paix avec l'image qu'il projette. Il m'explique qu'il n'a jamais voulu être autre chose que lui-même et que c'est d'ailleurs cette notion qu'il souhaite inculquer à ses trois filles (il sera sous peu papa pour la troisième fois).

Mais a-t-il toujours été si zen à l'égard de son image corporelle ? À bien y penser, Patrice me révèle que son unique drame a été d'avoir une puberté tardive au secondaire. Pouvez-vous croire qu'en première secondaire il était le plus petit de sa classe ? Toutefois, il dit avoir gagné six pouces en un été et avoir rattrapé ses amis en très peu de temps. Le seul aspect qu'il aurait souhaité modifier est son visage ; il aurait aimé avoir « une face de champion ». Une face de champion, qu'est-ce que c'est, au juste ? C'est un visage à la George Clooney ou à la Brad Pitt.

Patrice me confie adorer la provocation. Prenez, par exemple, le fait qu'il y a quelques années, il a décidé de ressortir le Speedo. Bien que cela puisse paraître quétaine, Patrice m'explique qu'en portant le Speedo, il a l'impression de briser des barrières et surtout d'être vraiment à l'aise.

À l'écran, Patrice joue souvent le Québécois moyen, l'ami ou le « guy next door » et il se dit tout à fait en accord avec cela. À l'image du rapport qu'il entretient avec son corps, Patrice croit réellement qu'il faut miser sur qui l'on est et ne pas tenter d'être ce que l'on n'est pas.

Patrice aime la beauté, et ce, dans toutes les choses qui l'entourent. Mais cela n'est associé à aucune pression pour lui. Il n'a jamais reçu de commentaires négatifs sur son apparence et a littéralement lâché prise par rapport à la perception qu'ont les autres de lui. Il me révèle d'ailleurs tout naturellement ceci : « Je sais que si je travaille, ce n'est pas parce que je suis *cute*. » D'accord ou pas, j'admire cette transparence qui le rend si sympathique…

Je constate à quel point il n'est pas touché par la pression de correspondre aux critères de beauté actuels. Par exemple, à propos du corps masculin musclé, Patrice dit être trop paresseux pour entreprendre un plan d'activité physique intense. Il aime plutôt jouer au hockey et faire du vélo. De la même manière, il reconnaît avoir peur de vieillir, mais pas pour des raisons reliées à l'apparence. Ce que Patrice craint par-dessus tout est l'apparition de petits bobos qui pourraient interférer avec son amour de la vie ainsi que la perte des personnes qu'il aime.

Que pense-t-il des interventions qui permettent de freiner les signes de vieillissement ? Il n'est pas contre et se dit même irrité que ceux et celles qui utilisent ces méthodes soient jugés. Et si, plus près de lui, son amoureuse envisageait de telles méthodes ? Patrice me répond que c'est sa *job* à lui de s'assurer que son amoureuse se sente belle pour qu'elle n'éprouve pas le besoin de modifier son apparence !

« La beauté, pour moi,
c'est tout de suite l'image
d'une femme, et la première
image qui me vient est celle
de la reine Néfertiti. »

Même principe en ce qui concerne la gestion
de son alimentation, où Patrice ne bascule pas
dans la rigidité et le contrôle. Patrice aime
manger, cuisiner et faire l'épicerie. Il est d'ailleurs
celui qui cuisine le plus fréquemment à la maison.
Et malgré un rapport trouble avec les chips
(qu'il adore), il m'assure qu'il n'y a aucun aliment
interdit chez lui. Il a déjà entrepris un régime avec
son amoureuse. Selon lui, cela l'a rendu davantage
conscient de ce qu'il mangeait, et ce, même si au
bout du compte il a repris tout le poids perdu !
Son défi, sur le plan alimentaire, est d'être plus
structuré, puisque parfois il peut tout simplement
oublier de manger, ce qui le rend irritable.

Questionné sur notre obsession collective
à l'égard de la beauté, Patrice soutient qu'au
Québec nous avons des standards différents
et plus diversifiés. Il me parle, entre autres,
de l'émission *30 vies*, où l'on peut voir une belle
diversité de personnes et de corps. Par contre,
il m'avoue aussi trouver que les Québécois ont
un rapport ambigu avec la beauté en ce sens
qu'« on ne veut pas voir du monde trop beau » !

Je ne peux que constater à quel point Patrice
a réussi à garder ses distances par rapport
à la pression reliée à l'apparence et à l'image.
À mon avis, ses propos inspirants nous
imprègnent de l'envie « d'être » au lieu
« d'avoir l'air »...

« Moi, j'ai
l'impression que
j'ai une facilité
à être heureux. »

Geneviève
Guérard

« Le yoga, pour moi,
a été la clé vers le
bien-être et c'est pour
ça que je le pratique
au quotidien. »

Geneviève a été première danseuse
aux Grands Ballets Canadiens pendant
huit ans, soit de 1998 à 2006.
Par la suite, elle décide d'accrocher
ses chaussons pour se consacrer à sa
deuxième passion, les communications,
où le grand public a pu la voir évoluer
dans le cadre de plusieurs émissions,
à la radio comme à la télévision.
Elle découvre le yoga et ouvre en
2013 son propre studio, *Le studio
de yoga Wanderlust*.

La femme que j'ai devant moi dans ce sympathique et bruyant café du Plateau est pétillante de vie et semble très connectée avec les plaisirs du quotidien. Geneviève me confirme d'ailleurs qu'elle est une vraie épicurienne et que tout ce qui touche son alimentation est facile et agréable. Elle admet manger avec plaisir sa poignée de chips tous les soirs à l'apéro et régulièrement parsemer son alimentation de gâteries. Elle est une grande adepte des collations, ne calcule pas les calories ou les portions et suit plutôt ses signaux de faim et de satiété. Mais compte tenu du fait qu'elle a évolué dans le monde du ballet classique, s'est-elle toujours sentie autant en harmonie avec son corps et son alimentation ?

Âgée de 41 ans, Geneviève a commencé à faire du ballet à l'âge de 12 ans alors qu'elle faisait son cours secondaire à l'école Pierre-Laporte. C'est par la suite, durant son passage au cégep, qu'elle a été recrutée par les Grands Ballets Canadiens. Le ballet est alors devenu pour elle une vraie passion !

Le monde du ballet accorde une importance extrême à la minceur et la présence des troubles de l'alimentation y est d'ailleurs sept fois plus élevée que dans la population générale. De quelle façon Geneviève a-t-elle vécu son immersion dans le monde du ballet et quelle influence cela a-t-il eue sur son rapport avec son corps ? Geneviève m'explique qu'à ses débuts, elle avait un corps d'enfant et qu'elle n'était pas préoccupée par le contrôle de son poids ou de son alimentation. Par contre, à l'adolescence, lorsque son corps s'est mis à changer, elle me dit qu'il y a eu une année durant laquelle elle a sombré dans l'anorexie. Elle se rappelle que, à l'époque, elle ne voulait pas avoir de hanches ni de seins. Elle pouvait alors pratiquement ne rien manger durant la semaine et s'empiffrer la fin de semaine. Sa vie avait pris un tournant sombre et elle ne se sentait plus elle-même. Et survint un acte manqué... À l'insu de ses parents, Geneviève dormait avec une ceinture qu'elle portait la nuit pour comprimer sa poitrine. Chaque matin, elle cachait sa ceinture sous son lit, sauf ce fameux matin où, plutôt endormie, elle est descendue à la cuisine avec sa ceinture encore sous sa robe de nuit. Sa mère s'est alors effondrée en pleurs.

C'est ainsi que, du jour au lendemain, beaucoup influencée par le désarroi qu'elle percevait dans le regard de ses parents, elle a pris la décision que si elle ne pouvait pas danser de façon saine, elle allait abandonner. Elle s'est dès lors remise à manger normalement et n'est jamais retombée dans la restriction alimentaire ou le désir de perdre du poids. Geneviève m'affirme avec fierté qu'elle a pu danser « selon SES termes et en se respectant ».

Maintenant dans la quarantaine, Geneviève se sent de mieux en mieux avec son corps. Elle a le sentiment de se donner un *break* et reconnaît avec beaucoup de sérénité que chaque corps a ses imperfections, le sien y compris ! Elle m'explique aussi vouer une immense gratitude à son corps du fait qu'elle est en santé. Geneviève se connaît bien et, je crois, a beaucoup appris de la période où elle tentait de contrôler son corps. Elle m'avoue qu'elle évite de se peser et se tient définitivement loin des régimes, car elle a l'impression que ces comportements pourraient réveiller ses anciennes préoccupations à l'égard de son corps.

Depuis qu'elle a quitté le monde de la danse, Geneviève pratique et enseigne le yoga. Ce dernier est devenu pour elle une manière d'être reconnaissante à l'égard de son corps. « Au lieu de lui demander des affaires, j'ai le goût de lui en redonner. Je l'ai tellement poussé ! » Geneviève a d'ailleurs mené sa passion plus loin en ouvrant son propre studio de yoga.

« Le bonheur, c'est un but à atteindre. La vie n'est pas toujours facile et c'est bien correct si on traverse des périodes difficiles. C'est ce qui fait que le bonheur peut venir plus facilement que si on l'exige à tout prix. »

Je sens que l'importance qu'elle accorde à son image corporelle est sincèrement saine, et ce, malgré le fait qu'elle a continué d'évoluer dans le monde plutôt superficiel de la télévision. Geneviève m'explique que pour elle, avant de faire de la télévision, la beauté s'exprimait par les gestes, la danse, la scène. « La télévision est une autre *game* où l'image est surfaite et glacée. » Sa façon de gérer cet aspect ? L'accepter comme un plaisir et non comme quelque chose qui la définit. D'ailleurs, dans sa vie de tous les jours et surtout depuis l'arrivée de ses deux enfants, Geneviève fait attention à ne pas se dénigrer physiquement et à ne pas accorder trop d'importance à son apparence.

Geneviève pose un regard somme toute positif sur l'image qu'ont les femmes dans le monde de la télévision au Québec. Elle soutient que des émissions comme *Unité 9* nous permettent de voir des femmes qui sont d'abord des personnalités avant d'être des apparences. De la même manière, elle note que les jeunes filles d'aujourd'hui ont de plus en plus de modèles de femmes intéressants et diversifiés, tels que Cœur de Pirate, Lady Gaga et Kate Winslet.

Plus près d'elle, elle me confie penser que l'on peut changer le monde et ses croyances à l'endroit de l'importance accordée à la beauté et à l'apparence. Selon elle, il faut débuter par s'accepter et s'aimer soi-même et s'efforcer d'élever des enfants qui s'aimeront pour d'autres aspects que leur beauté.

Notre généreux entretien tire à sa fin. Geneviève me laisse avec une phrase tout à fait à son image et à la hauteur de l'énergie qu'elle dégage : « Je veux souhaiter à tout le monde de se réjouir d'être en santé et seulement après ça d'envisager de se demander s'ils sont *cutes*. » Merci beaucoup Geneviève !

« D'une part, la beauté est une question de chance et de gènes. D'autre part, la beauté intérieure, c'est lorsqu'on a le goût de connaître une personne davantage. »

**Dès l'âge de 5 ans,
les enfants
commencent à
se préoccuper
de leur apparence
physique.**

Tremblay L. G., Lovsin, T.,
Zecevic, C. et Larivière, M.A. (2011).
Perceptions of self in 3-5-year-old children:
a preliminary investigation into the early
emergence of body dissatisfaction.
Body Image, 8 (3), 287-92.

Sandra
Dumaresq

« La beauté pour
moi évoque la douceur,
la femme. »

Dès sa sortie de l'Option théâtre
du cégep de Saint-Hyacinthe,
Sandra Dumaresq s'est démarquée
autant à la télévision que sur la scène.
Très vite, elle décroche le rôle
de Camille dans la populaire série
Watatatow, puis enchaîne des rôles
importants dans les téléséries
Rue L'Espérance, *Les poupées russes*
ou bien encore *450, chemin du Golf*.
Plus récemment, on a pu la voir dans
30 vies, *Toute la vérité* et *Trauma*.
Au théâtre, elle joue dans de nombreuses
pièces dont la populaire production
Les voisins, *La Locandiera* ainsi que
la comédie romantique française *Ils
se sont aimés*. Elle est aussi de la
distribution de plusieurs théâtres
d'été, dont *Les monologues du vagin*,
dans une mise en scène de Denise
Filiatrault. Elle s'illustre de plus comme
chanteuse dans le duo musical *Les
Country Girls* qu'elle forme avec Sylvie
Moreau depuis 2006 et dont un album
est sorti en 2013.

Maman d'un garçon de 12 ans et d'une petite fille de 5 ans, Gaspésienne d'origine, Sandra est une femme vraiment sympathique et pleine de vie. Mon entretien avec elle est convivial et authentique, un réel plaisir !

Tout d'abord, en discutant avec Sandra, je constate que sa relation avec l'alimentation et le corps a beaucoup évolué au fil du temps. Elle me confie avoir souffert de boulimie de 17 à 21 ans. Cette période coïncide avec son passage à l'école de théâtre du cégep de Saint-Hyacinthe. Son arrivée à Montréal et sur le marché du travail lui apportera un grand bien-être et l'aidera à surmonter son trouble de l'alimentation.

Sa relation avec l'alimentation et le corps sera par la suite moins houleuse, bien que parsemée de défis et de moments plus difficiles. Elle raconte, par exemple, que lorsqu'elle a cessé de fumer, il y a deux ans, elle a pris du poids. Son alimentation est alors devenue plus restrictive; elle a même suivi un régime aux protéines. Elle me confie également constater qu'il existe un lien pour elle entre son état émotionnel et son alimentation. Elle aurait tendance à prendre du poids lors de périodes plus difficiles et à restreindre son apport alimentaire par la suite afin de compenser.

La gestion de son alimentation occupe maintenant une moins grande place dans sa vie et est plus équilibrée. Sandra a le souci de bien s'alimenter, pour elle et surtout pour ses enfants. Ses points de repère sont les quatre groupes alimentaires décrits par le Guide alimentaire canadien et ils constituent la base de tous ses repas. Elle mange fréquemment, se permet des gâteries et n'est pas une adepte de produits allégés. Il est devenu plus difficile pour elle de se priver de petits plaisirs et manger *est* un plaisir ! En même temps, elle n'est toujours pas à l'aise avec l'idée que son poids puisse par moments fluctuer... Elle réagit alors en ajustant son apport alimentaire et sa dépense énergétique. Elle réussit donc à rester équilibrée, mais tant et aussi longtemps qu'elle demeure dans une zone confortable et sécurisante pour elle.

« Le bien-être, c'est plein de choses... Le jogging, la famille, les enfants, le travail, le sommeil, le toucher, le vent, la mer. »

« Le bonheur, c'est l'épanouissement et la connaissance de soi. »

Sandra trouve que la relation qu'elle entretient avec son corps prend beaucoup de place. Par exemple, elle est préoccupée par les conséquences du vieillissement et par la minceur. Elle tente de ne pas trop s'attarder à cet aspect de sa vie, mais l'image qu'elle projette reste importante. Elle se sait exigeante envers elle-même. Elle se dit à l'aise à un certain poids et lorsqu'elle s'en écarte, elle va bouger davantage ou retrancher certains aliments. Elle reconnaît avoir traversé des périodes où elle s'adonnait à l'exercice de manière intensive. Actuellement, elle fait du jogging et de la musculation.

Et la pression culturelle dans tout ça ? Elle admet y être sensible. Elle me confie être soucieuse de ne pas avoir l'air ronde et être mal à l'aise lorsqu'elle a l'impression de ne pas correspondre aux standards de beauté actuels.

Certains aspects de sa relation avec l'alimentation et l'image corporelle constituent pour elle un défi. Tout d'abord, elle aimerait réussir à accepter les imperfections de son corps et à s'aimer avec des rondeurs. Elle aimerait également accepter de s'éloigner des standards promus par la société sans éprouver de malaise. De la même manière, elle voudrait se permettre d'être bien hors des points de repère qu'elle s'est donnés, comme un poids particulier ou une paire de jeans « repère », pour se sentir bien et réussir à n'y voir que de la beauté.

Sandra semble très consciente du fait qu'évoluer dans le milieu de la télévision accentue les préoccupations liées à l'image corporelle. Plusieurs comédiennes surveillent leur alimentation de près et doivent vivre avec les commentaires du public pas toujours bienveillants. Selon elle, parler plus souvent d'image corporelle et de ses enjeux sur l'estime de soi pourrait être grandement bénéfique. Que les comédiennes que l'on voit à la télévision représentent une image corporelle plus variée pourrait également, à ses yeux, contribuer à faire avancer la cause.

Étant maman d'une petite fille, elle me parle avec émotions du défi pour les jeunes filles d'aujourd'hui. À son avis, elles doivent être bien entourées et être exposées à un discours et des comportements sains en ce qui a trait à l'alimentation et à l'image corporelle. Plus concrètement, elle souligne l'importance d'avoir une alimentation saine à la maison et aussi d'inculquer la notion de plaisir essentielle à une alimentation équilibrée.

À la suite de notre entretien, je me fais la réflexion que Sandra a parcouru un grand bout de chemin dans sa relation avec l'alimentation et le corps. Il est certain que son témoignage sera inspirant pour plusieurs...

Véronique Cloutier

« Le bonheur, c'est une série de petites choses au quotidien. Et la certitude qu'on est à la bonne place, dans la bonne vie, même au cœur des pires tempêtes. »

Véronique a vécu une bonne partie de sa vie sous les projecteurs. Animatrice depuis plus de 25 ans, c'est l'un des visages les plus connus du show-business québécois! Sa carrière explose littéralement en 1998 avec l'arrivée d'une émission qui allait changer les vendredis soir de 1,2 million de Québécois pendant 5 saisons, *La Fureur* ! Elle a depuis été la tête d'affiche de nombreux *Bye Bye* et à la barre du succès télévisuel *Les enfants de la télé* (avec son complice Antoine Bertrand). Ses émissions de radio sur les ondes de Rythme FM sont tout aussi populaires (*Les midis de Véro* de 2004 à 2013 et *Le Véroshow* depuis 2013). Véro, c'est également une gamme de vêtements, Les Collections VÉRO, et un magazine, le *VÉRO magazine*, dont elle est la « muse en chef » ! Depuis juin 2014, elle et son conjoint Louis Morissette présentent le spectacle humoristique *Les Morissette* qui connaît un franc succès partout dans la province.

Ma rencontre avec Véronique se déroule dans un café de la Rive-Sud. D'emblée, je suis impressionnée par l'énergie qu'elle dégage et par son intérêt pour le sujet de notre entretien. J'apprécie grandement l'authenticité de ses propos et son désir évident de contribuer positivement à l'acquisition d'un rapport plus sain avec l'alimentation et l'image corporelle.

La relation qu'entretient Véronique avec l'alimentation a beaucoup évolué, de la nonchalance à l'équilibre en passant par le surcontrôle. Tout d'abord, il y a eu sa période d'adolescence, où elle me dit n'avoir eu aucunement conscience de son poids. Par la suite, de 18 à 22 ans, il y a eu l'époque Musique Plus durant laquelle elle mangeait du *fast food* quatre fois par semaine, buvait beaucoup de boisson gazeuse et ne s'inquiétait pas du tout de la qualité de son alimentation. Elle me confie ne pas s'être pesée avant l'âge de 22 ans. C'est à ce moment qu'elle a commencé l'animation de *La Fureur*; une émission de soirée, à saveur *glamour*, qui impliquait des tenues plus sexy et une attention particulière attribuée à l'apparence. Elle m'explique qu'elle s'est alors mise à se préoccuper de son apparence, de son poids et donc de son alimentation. Elle a entrepris un vrai régime, a changé ses habitudes alimentaires et s'est mise à s'entraîner. Certes, ces changements ont été associés à une perte de poids, mais elle reconnaît être allée un peu loin à cette époque dans son désir de contrôler... Elle n'a d'ailleurs jamais répété l'expérience !

Véronique soutient que la relation actuelle qu'elle entretient avec l'alimentation est saine. Je perçois l'atteinte d'un équilibre; celui qui se situe entre « faire attention » et avoir du plaisir. Car le plaisir, elle me le souligne, est primordial pour elle. Elle admet surveiller certains aspects de son alimentation, mais sans aller jusqu'à s'interdire complètement des aliments. Elle ne met jamais son corps en état de privation, ne saute pas de repas et prend des collations. Elle se permet régulièrement des gâteries.

Elle et son amoureux ont d'ailleurs instigué une tradition familiale le samedi midi, où toute la famille profite d'un bon repas de *fast food* !

Lorsque nous abordons la relation qu'elle entretient avec son corps, elle m'avoue d'emblée réaliser qu'elle est dotée de bons gènes et d'un bon métabolisme. Toutefois, elle se dit « à cinq livres du bonheur », et ce, davantage par rapport à elle que vis-à-vis des autres. Intriguée, je la questionne à ce sujet... À la suite de son dernier accouchement, elle constate ne pas avoir retrouvé son corps d'antan. C'est d'ailleurs après son deuxième accouchement qu'elle a paniqué et a momentanément considéré des moyens de perte de poids plus draconiens et surtout plus risqués... Elle s'est rapidement ressaisie et s'est plutôt inscrite à un cours de « spinning ». C'est ce côté de Véronique qui m'inspire l'équilibre... celui qui la rend très humaine, mais qui en même temps l'empêche de basculer vers des stratégies extrêmes.

« La beauté, c'est l'harmonie entre l'intérieur et l'extérieur. On est belle quand on s'aime et qu'on trouve le moyen d'accepter ce qu'on aime moins. »

Je perçois qu'elle ne compromettrait pas son plaisir de déguster un aliment qu'elle aime, mais que dans son bilan plus global de son alimentation il existe une retenue. Afin de gérer cet aspect, elle s'est tournée vers l'exercice physique. Elle s'entraîne avec un entraîneur trois fois par semaine depuis plusieurs années. Elle réalise sa chance d'avoir cette possibilité. Se sent-elle coupable si elle saute une session d'entraînement ? Elle me répond par la négative.

J'aborde avec elle les conséquences d'avoir une si grande visibilité au sein d'une communauté télévisuelle qui ne contribue pas à favoriser une image saine de l'alimentation et du corps. Selon elle, il n'y a pas seulement les gens du milieu qui ont à modifier leur position à ce sujet. Elle m'explique qu'elle observe aussi, de la part du public, une certaine ambiguïté. Les gens se plaignent des standards irréalistes présentés à la télévision, mais, du même coup, sont assez critiques lorsqu'on s'en éloigne. Elle me confie, par exemple, s'être fait critiquer à certains moments parce qu'elle semblait trop mince ou trop parfaite et à d'autres parce qu'elle semblait avoir pris du poids ou être enflée.

Elle poursuit en mettant en lumière le double discours de notre société... D'un côté, on revendique la diversité corporelle et, de l'autre, on lynche une chanteuse ou une animatrice qui a un léger surplus de poids ou que l'on considère comme trop mince. À son avis, il est hypocrite de demander à nos actrices de rester naturelles, de vieillir avec grâce et élégance et de ne pas avoir recours au Botox, et en même temps de les juger si elles se montrent avec leurs rides. Elle n'a d'ailleurs rien contre les méthodes pour freiner le vieillissement, tant que cela demeure dans les limites du bon goût, du respect de soi et surtout de la modération !

Selon Véronique, le principal défi pour les jeunes filles d'aujourd'hui est de réussir à garder la tête froide compte tenu des valeurs promues par la société. En approfondissant le sujet avec elle, je constate que les solutions qu'elle propose ne sont pas celles que l'on entend habituellement. D'une part, elle reconnaît que pour aider les jeunes filles il faut promouvoir une meilleure diversité sur le plan de l'image corporelle. C'est d'ailleurs ce qu'elle a su mettre en pratique dans le contexte de son *VÉRO magazine*, qui présente des femmes de silhouettes variées. D'autre part, elle souhaiterait que chaque femme soit en mesure d'apprécier les standards de beauté tels qu'ils sont actuellement promus sans ressentir la pression d'y correspondre. Je trouve son argument franchement intéressant.

Lui reste-t-il des aspects d'elle-même à travailler quant à sa relation avec l'alimentation et l'image corporelle ? Elle revient justement sur cette impression d'être à cinq livres du bonheur... Elle aimerait être moins sévère avec elle-même et s'accepter telle qu'elle est, indépendamment du fameux cinq livres !

« Le bien-être, pour moi, c'est d'abord la santé et un équilibre entre la course folle du quotidien et un peu de temps pour soi. »

Sébastien Ricard

« Le bien-être,
pour moi,
signifie "lucidité". »

Diplômé de l'École nationale de théâtre en 1998, Sébastien partage son talent entre la chanson (étant membre fondateur du groupe *Loco Locass*) et le jeu. Bien connu du public pour son rôle dans la série télévisée *Tabou*, on a aussi pu le voir dans *30 vies*, *En thérapie*, *Fortier*, *Les hauts et les bas de Sophie Paquin* et *Nos étés III*. Au théâtre, il a joué dans plusieurs productions dont *L'opéra de quat'sous*, *La nuit juste avant les forêts*, *Woyzeck* et *Vivre*. De plus, il était de la distribution de *Poésie, Sandwichs et autres soirs qui penchent*, *La Dame aux Camélias*, *Big Shoot*, *Kamouraska*, *Les manuscrits du déluge*, *Les oiseaux de proie*, *Les Enfants d'Irène* et, en 2015, *Richard III*. Au cinéma, il incarne Dédé Fortin, le chanteur du groupe les Colocs dans *Dédé, à travers les brumes* – interprétation pour laquelle il a reçu le Jutra du meilleur acteur. Il a participé, entre autres, à *Une jeune fille*, *Avant que mon cœur bascule*, *De ma fenêtre, sans maison*, *Histoire de famille*, *Les invasions barbares*, *15 février 1839*, *Gabrielle*, *Antoine et Marie* et plus récemment *Chorus*.

« La beauté,
c'est la
civilisation. »

Mon entretien avec Sébastien m'a fait découvrir le parcours et les opinions d'un homme à la fois discret, intense et surtout très connecté à lui-même.

La relation que Sébastien entretient avec son alimentation est simple. Épicurien dans l'âme, il adore bien manger et bien boire, et cela constitue un réel plaisir pour lui. Il fait beaucoup la fête et reconnaît être quelque peu excessif de ce côté-là. En même temps, il cuisine beaucoup et me dit être un vrai tyran dans une cuisine. Intriguée, je le questionne davantage... Il aime que la table soit bien mise, qu'il y ait de beaux plats de service et que les enfants se tiennent bien. À l'opposé, il y a des occasions où il lâche totalement prise, comme lorsqu'il est en tournée avec Loco Locass. Dans ces moments-là, il se dit très à l'aise de manger plus *trash* puisque cela fait partie de l'expérience. Ce qui touche son alimentation n'est pas et n'a jamais été difficile, complexe ou obsessionnel.

Côté image corporelle, le rapport que Sébastien entretient avec son apparence a beaucoup évolué au fil du temps. Il me confie avoir vécu ses premiers deuils avant même d'avoir atteint la vingtaine. Il m'explique avoir franchi avec beaucoup de mélancolie le passage de l'enfance à l'âge adulte et qu'il a été ardu pour lui de sentir son corps changer, comme avoir moins de cheveux et voir des rides faire leur apparition. Pas évident lorsqu'on choisit un métier qui implique grandement l'image et le rapport au corps...

« Depuis que je suis
tout petit, chaque fois
que l'on devait faire un vœu,
j'ai toujours dit que je
voulais être heureux. »

Fait intéressant, Sébastien me dit que son entrée à l'École nationale de théâtre a été réellement thérapeutique pour lui. Il semble que ce soit à travers le jeu qu'il a réalisé que son enveloppe corporelle n'était qu'un outil dont il devait se servir pour exprimer beaucoup plus. Pour lui, être comédien, c'est offrir... offrir son corps, son âge, son époque. Il m'explique que, selon lui, il est de la responsabilité du comédien de ne pas maîtriser son image et de se laisser aller. « C'est le travail de l'équipe de mettre le comédien en valeur. » C'est précisément ce *lâcher-prise* qui semble avoir été thérapeutique pour lui. Le fait d'avoir décidé d'assumer qui il était et de cesser de vouloir contrôler son image.

Parallèlement à cela, durant ces années à l'école de théâtre, Sébastien endossait très souvent les rôles de jeune premier. Même s'il n'a jamais eu cette perception de lui-même, il me confie avoir trouvé ce *casting* flatteur, mais contraignant. C'est pour cette raison, entre autres, qu'il essaie depuis toujours de varier les rôles qu'il interprète. Sébastien aime la beauté, comme les beaux objets et les beaux vêtements. Mais, en même temps, il admet aimer la laideur et l'étrangeté qu'il trouve très riches. D'ailleurs, lorsqu'il regarde un film, il me dit aimer voir des physionomies différentes et, que pour lui, cela est plus inspirant que la beauté typique.

Moins préoccupé par son apparence à 43 ans qu'il ne l'était à 20 ans, Sébastien est néanmoins très sensible à ce que les jeunes filles et garçons d'aujourd'hui ont à gérer quant à leur rapport au corps. Heureux papa d'une adolescente de 12 ans et d'un garçon de 6 ans, Sébastien pense qu'il est du rôle des parents de créer des conditions afin que leurs enfants acquièrent une bonne estime de soi. Et selon lui, cela signifie plusieurs choses, comme passer du temps avec nos enfants et les exposer à de la diversité. La diversité du corps, des conversations, de l'assiette et des gens que l'on côtoie.

D'un point de vue plus global, Sébastien conteste le manque de diversité corporelle dans notre société en général. Selon lui, le manque de diversité est étroitement lié à un enjeu politique où certaines personnes au pouvoir veulent contrôler ce qui est désirable ou pas. Il soutient qu'un parfait exemple est celui de l'Assemblée nationale, qui est paternaliste et remplie de « bonhommes blancs » et où il y a quasi-absence de diversité. De ce côté, il y a à son avis beaucoup à faire.

Engagé, généreux et très authentique.
Merci Sébastien !

34%

Chez les
adolescents québécois,
plus des 40% des filles
et 34% des garçons
sont insatisfaits de
leur image corporelle
et disent vouloir
modifier leur
apparence.

Conseil des ministres de l'Éducation.
Étude sur les jeunes, la santé sexuelle,
le VIH et le sida au Canada : facteurs influant
sur les connaissances, les attitudes
et les comportements, Toronto,
le Conseil, 2003, 162 p.

40%

Émilie
Heymans

« Le bonheur, c'est être heureux, se sentir accompli et avoir le sentiment que les personnes autour de toi sont heureuses. »

Quadruple médaillée olympique, Émilie est la première plongeuse au monde et la première athlète canadienne à réaliser l'exploit de remporter une médaille à quatre jeux olympiques consécutifs. En 2000, elle participe à ses premiers jeux olympiques où elle remporte, avec Anne Montminy, une médaille d'argent à la tour de 10 mètres. Aux Jeux olympiques d'Athènes en 2004, Émilie vit un moment inoubliable en compagnie de son amie et partenaire de synchro Blythe Hartley en remportant la médaille de bronze. En 2008, elle récolte sa première médaille individuelle à la tour de 10 mètres en remportant l'argent aux Jeux olympiques de Pékin. Aux Jeux olympiques de Londres en 2012, avec sa partenaire Jennifer Abel, elle remporte à l'épreuve de 3 mètres synchro la première médaille du Canada. Elle devient ainsi la première plongeuse au monde et la première athlète canadienne à réaliser cet exploit. Depuis la fin de ses études, Émilie travaille au développement de sa collection de maillots de bain.

« La beauté
est étroitement liée
pour moi à
la minceur. »

Émilie me reçoit chez elle, autour d'un bon café. Je la sens détendue et aussi très interpellée par le sujet de notre entretien. Ayant quitté le monde du plongeon depuis 2012, elle porte maintenant un regard très lucide sur ces années de rigueur et d'entraînement intense.

Émilie a entrepris son premier régime amaigrissant à l'âge de sept ans et elle en a fait plusieurs autres par la suite. À cette époque, elle faisait de la gymnastique et était pesée chaque semaine par son entraîneur. On lui a alors dit qu'elle était trop grosse et qu'elle devait perdre du poids. Avec le recul, Émilie est très consciente que son poids était normal... mais elle-même en était venue à se percevoir comme grosse. Elle me confie que ce qui l'a sauvée, même si elle était constamment au régime, c'est qu'elle « trichait » sans arrêt. C'est ce qui a fait, entre autres, qu'elle n'a jamais basculé vers des méthodes de perte de poids draconiennes et dangereuses.

« Le bien-être, pour moi,
c'est se sentir bien dans
sa peau, être en forme,
énergique, joyeuse. »

Le temps a passé, mais Émilie semble être toujours aux prises avec la même dynamique quant à son alimentation. Dans sa tête, elle se sent encore éternellement au régime, mais dans les faits, elle me dit tricher tout le temps. Il se joue à l'intérieur d'elle une bataille... D'un côté, Émilie se qualifie de réelle gourmande qui mangerait sans arrêt « juste pour le *fun* », et de l'autre, elle se pèse plusieurs fois par jour et reconnaît que la gestion de son alimentation frôle l'obsession. Heureusement, le côté plus sain semble sortir vainqueur de cette bataille. Elle réussit donc à bien manger, tout en se permettant des gâteries quotidiennement, et ce, malgré le calcul qui peut se jouer dans sa tête.

Émilie me raconte une anecdote... Lorsqu'elle était jeune, il n'y avait pas de gâteries à la maison, sauf pour les occasions spéciales. Une journée qu'elle regardait un film avec sa sœur, elle s'est enfuie par le garage pour aller acheter des chips en cachette... et a fini par se faire prendre par ses parents ! Maintenant âgée de 33 ans et maman d'une petite fille de 2 ans, Émilie est consciente des enjeux reliés au contrôle de l'alimentation et du poids et tâche d'instaurer de bonnes habitudes alimentaires familiales. Chez elle, les gâteries sont permises !

Côté image corporelle, Émilie affirme se trouver plus belle lorsqu'elle est mince. De la même manière qu'avec son alimentation, il semble y avoir une contradiction dans sa perception d'elle-même. D'une part, elle aimerait perdre une quinzaine de livres, d'autre part, elle se trouve « pas si pire »... Il faut reconnaître que la transition n'est pas facile ; passer de s'entraîner rigoureusement à ne plus s'entraîner, à vivre une grossesse et à voir son corps changer...

Émilie ne semble pas très affectée par la pression culturelle d'être belle. À l'égard des autres, elle me dit s'accepter comme elle est. C'est pourquoi lorsqu'elle voit un mannequin, elle ne fera rien pour tenter de lui ressembler. Elle ne se maquille pas pour aller à l'épicerie et ne se soucie pas des marques. Si, par moments, elle ressent une pression par rapport à son apparence, il s'agit plutôt d'elle à l'égard d'elle-même. Elle admet être sa plus sévère critique.

Émilie donne régulièrement des conférences dans les écoles secondaires, où elle parle de la façon de bien affronter les défis de la vie. En ce qui concerne l'estime de soi, elle croit que ce qui l'a aidée est d'avoir su trouver une activité dans laquelle elle excellait et se sentait valorisée. De la même manière, elle considère que si les jeunes d'aujourd'hui réussissent à trouver quelque chose qu'ils aiment et dans laquelle ils sont bons, cela les aidera à s'aimer davantage et à se sentir mieux dans leur peau.

Catherine Trudeau

« J'ai cette chance-là, à 40 ans, de dire que j'y touche souvent au bien-être. »

Après avoir obtenu son diplôme du Conservatoire d'art dramatique de Montréal en 1999, Catherine Trudeau s'est fait voir régulièrement au théâtre, notamment dans *Le traitement*, *Oncle Vania*, *La mouette* ou bien encore *La cerisaie* à la Compagnie Jean-Duceppe. Dernièrement, elle était au Centre du Théâtre d'Aujourd'hui dans la pièce *J'accuse*. Au petit écran, on se rappelle d'elle qui interprétait l'irréductible Lyne-la-pas-fine dans la série *Les Invincibles* ; plus récemment, elle était de la série *La vie parfaite* et incarne présentement Karine Bellerose dans *Mémoires vives*. En janvier 2016, Catherine sera de la nouvelle télésérie *Ruptures*. Au cinéma, on a pu la voir dans de nombreux films, tels que *La loi du cochon*, *Séraphin, un homme et son péché*, *André Mathieu*, *L'ange de goudron* et *Le survenant*. Catherine est également porte-parole du Prix jeunesse des libraires du Québec.

Dès nos premiers contacts, bien avant notre rencontre, je sens Catherine très interpellée par ce qui touche l'alimentation et l'image corporelle. Pleine d'humour et de vitalité, Catherine a généreusement partagé avec moi ses réflexions sur le sujet.

Catherine se perçoit comme une comédienne « en chair ». Elle me dit être habituée aux fluctuations de poids et ne jamais s'en être préoccupée outre mesure. Petite confidence… elle a un faible pour les aliments plutôt gras et salés ! Elle vise l'équilibre (mot qui reviendra fréquemment tout au long de notre entretien) entre la santé, qui est très importante pour elle, et l'image corporelle qu'elle souhaiterait avoir. Je la sens très lucide à l'égard de ce qu'elle pourrait espérer comme corps et son bonheur qu'elle n'est certainement pas prête à hypothéquer. Elle insiste sur le fait que le plaisir reste primordial pour elle et ça se sent.

Catherine me parle de l'évolution de son poids à travers les années. Vers l'âge de 22 ans (Catherine en a maintenant 40), elle a vu son poids augmenter. Cette prise de poids ne la dérangeait pas. Elle l'attribuait au fait qu'elle faisait moins d'exercice, allait plus fréquemment manger au restaurant et se déplaçait alors en voiture. Il y a eu ensuite sa première grossesse… Car Catherine est l'heureuse maman d'un petit bonhomme de trois ans et d'un grand garçon de sept ans. Elle me confie avec humour être tombée enceinte à quatre livres du bonheur ! Durant sa première grossesse, elle me révèle avoir pris une trentaine de livres. Elle est alors retournée au travail rapidement, à l'été 2009, afin de participer au tournage de la série *Mirador*. Cette série a été diffusée plusieurs mois plus tard, en janvier 2010, et Catherine me dit avoir reçu des commentaires selon lesquels elle semblait plus ronde qu'auparavant. En discutant avec elle, je réalise avec admiration qu'elle a su faire la part des choses et ne pas se dévaloriser.

Bien qu'elle soit une personnalité connue, Catherine ne sent pas qu'elle fait partie de ce monde *glamour* qui perpétue des standards de beauté irréalistes. Elle se considère comme une « vraie » fille et est très à l'aise avec cela. Elle cherche plutôt à se sentir coquette et bien dans sa peau. Elle admet néanmoins être une consommatrice de magazines, pour le plaisir que cela lui procure et non afin de s'inspirer de critères de beauté. Comme plusieurs autres comédiennes, elle me dit que, dans le monde télévisuel du Québec, la pression culturelle d'être physiquement parfaite est heureusement moins intense qu'ailleurs.

« La beauté, ça peut être de la lumière, de la couleur, quelque chose d'émouvant… »

« Le bonheur, c'est...
manger, être avec
les enfants, écouter
de la musique, partager
des rires avec des amis,
s'acheter des fleurs, boire
du champagne... »

Catherine m'explique qu'elle a toujours eu une relation saine avec l'alimentation, et ce, jusqu'à ce que sa santé lui parle… C'est au début de l'année 2010 qu'elle développe des troubles digestifs. Elle a alors entrepris, en mars 2010, une cure avec une esthéticienne-naturopathe. Pendant cinq semaines, elle a abandonné les mets préparés, les restaurants, les agents de conservation, le fromage et l'alcool. Elle a également reçu des bains d'algues visant à éliminer les toxines. Son objectif était de se sentir mieux. Elle me confie que cette cure a favorisé plusieurs changements durables chez elle : elle cuisine plus fréquemment, elle lit les étiquettes nutritionnelles et elle tâche d'éviter les aliments très gras et très salés. Ces changements font qu'elle se sent réellement mieux avec son corps et en plus grande harmonie avec son alimentation. Cette cure a toutefois engendré chez Catherine une perte de poids d'une dizaine de livres. Elle avait déjà perdu du poids dans le passé, mais toujours pour les nécessités d'un rôle.

Elle se sent maintenant à son poids d'équilibre et reconnaît être bien avec cette perte de poids, puisqu'elle a l'impression de faire attention à elle et à sa santé. Elle reste tout à fait à l'aise avec le fait de s'offrir régulièrement des gâteries et demeure définitivement connectée avec le plaisir de manger ! Catherine ne se pèse pas fréquemment, n'est pas une adepte de produits allégés et choisit toujours l'équilibre, dans la vie comme dans l'alimentation. Par exemple, l'été est synonyme pour elle d'une plus grande consommation d'alcool et de grignotage et c'est selon elle très bien comme cela !

Catherine affirme ne pas être une sportive. Elle marche et fait des sessions de pilates à la maison. En ce qui concerne l'importance de l'exercice dans sa vie, c'est encore une fois la notion de plaisir qui déterminera ce qu'elle entreprendra et non celle de l'obligation.

Elle veut absolument réussir à maintenir cet équilibre nouvellement acquis dans son alimentation et aussi dans sa vie. Elle aimerait continuer à mieux écouter son corps, car elle m'avoue ne pas encore toujours ressentir efficacement les signaux de satiété.

Elle s'anime davantage en parlant des façons de véhiculer une alimentation et une image corporelle plus saines. Elle croit que, pour bien des gens, bien manger est perçu comme étant compliqué. Je suis tout à fait d'accord avec elle. J'ajouterais même que, pour bien des gens, bien manger est associé à morne, fade et sec… C'est ce point essentiel, à son avis, qu'il faut modifier. Faire en sorte que bien manger soit associé au plaisir et à l'équilibre et non au contrôle et à la restriction dans le but d'être le plus mince possible. Elle affirme qu'elle s'assume totalement dans ses écarts nutritionnels quotidiens, car, selon elle, ils font partie d'une relation saine avec l'alimentation et le corps.

Catherine se dit également choquée par le fait que des gens se sentent en droit de faire des commentaires sur le poids et l'apparence d'une personne. Les médias sociaux ne font qu'amplifier ce phénomène et font en sorte qu'en tant que société nous nous sentons dans l'obligation de tout commenter.

Elle me confie avoir peur de vieillir… mais pas pour des raisons esthétiques. Catherine est une fille nostalgique et ce qui l'effraie est la perte de mémoire. Le fait qu'elle pourrait oublier tous ces souvenirs de vie qui sont si précieux pour elle. De la même manière, elle craint la vieillesse de ceux qu'elle aime et ne veut pas voir partir.

Je constate à quel point Catherine et moi partageons la même vision… En quittant le petit restaurant (où nous avons très bien mangé toutes les deux !), j'ai vraiment l'impression d'avoir passé avec elle un petit moment de fraîcheur et d'espoir… L'espoir qu'un plus grand nombre de personnes connues affichent un discours sain et équilibré.

Geneviève St-Germain

« L'amour est
la plus grande
source de bonheur.
Aimer et savoir
qu'on est aimé. »

Journaliste, chroniqueuse, blogueuse, animatrice, auteure, Geneviève St-Germain est une communicatrice. Sa carrière journalistique s'est principalement déroulée dans les magazines féminins où elle a fait sa marque. Au fil des ans, elle a collaboré à de nombreuses émissions de radio et de télévision. Elle a également travaillé à la conception d'émissions de télé. Elle a publié *Carnets d'une désobéissante*, un best-seller, et *Sœurs d'âme*, un roman initiatique, chez Stanké. Elle écrit actuellement son troisième livre.

Geneviève est connue pour ses opinions et son intérêt pour les débats. Maintenant âgée de 57 ans, elle porte un regard réfléchi et très réaliste sur elle-même, sur son parcours et aussi sur la société dans laquelle nous vivons.

Geneviève qualifie sa relation avec l'alimentation de « *work in progress* ». En effet, le lien qu'elle entretient avec la nourriture n'est pas simple. Depuis son premier régime, à l'âge de 16 ans, il s'est enclenché pour elle un processus où plusieurs aliments interdits sont devenus conséquemment très attrayants. Elle admet vivre de l'ambivalence entre son côté épicurien et ses préoccupations liées à l'alimentation. D'une part, elle déclare que cuisiner représente pour elle le bonheur total, car elle adore manger et possède des centaines de livres de recettes. D'autre part, elle a suivi plusieurs régimes tout au long de sa vie et reconnaît que manger reste étroitement lié pour elle à la gestion de ses émotions.

Je me rends compte en discutant avec Geneviève que sa relation avec l'alimentation a néanmoins beaucoup évolué au fil des dernières années. Elle m'explique qu'elle réalise que lorsqu'elle fait des excès ou qu'elle consomme certains aliments, elle ne se sent pas bien. Elle a donc maintenant tendance à prioriser son bien-être en faisant des choix différents. Elle a également abandonné le cercle vicieux des régimes amaigrissants. Geneviève a perdu 60 livres il y a 15 ans et a réussi à maintenir sa perte de poids pendant 3 ans. En ce moment, elle travaille à faire attention à elle, à s'aimer suffisamment pour éviter les aliments qui font qu'elle se sent mal physiquement et psychologiquement.

Malgré ces progrès importants, Geneviève me confie faire des excès alimentaires ponctuels. Ces épisodes ont principalement lieu le soir et sont étroitement liés à des sentiments d'angoisse et d'ennui. Ces compulsions demeurent pour elle un aspect de son comportement alimentaire à travailler. Elle aimerait pouvoir manger naturellement ce qu'elle veut en écoutant ses signaux de satiété, ce qui est difficile pour celles qui ont fait plusieurs régimes. Pour Geneviève, une saine alimentation signifie manger avec plaisir sans arrière-pensées et choisir des aliments qu'elle sait bon pour elle. Elle voudrait également que manger ne soit pas aussi intimement lié à ses émotions. Son objectif : être dans le plaisir, mais pas dans le sabotage.

« La beauté peut détruire, mais elle peut aussi aider à vivre. »

Par rapport à sa relation avec son corps, Geneviève m'avoue ne pas viser la minceur ultime. Elle a beaucoup travaillé à s'accepter telle qu'elle est. Elle déteste l'exercice physique, mais pratique maintenant la marche pour le bien-être que cela lui procure.

Elle m'explique qu'il faut s'aimer pour autre chose que son corps et que si l'on se sent belle, on peut faire bien des choses. Selon elle, l'amour de soi n'est pas attribuable au fait d'être parfaite, mais plutôt simplement d'être soi-même.

À ce stade de sa vie, comment réagit-elle à la pression culturelle ? Selon elle, si, parvenues dans la cinquantaine, certaines femmes gèrent toujours difficilement la pression culturelle, elles ont un bon travail à faire sur elles-mêmes ! Geneviève trouve triste que, avec l'âge, beaucoup de gens n'aient pas réussi à atteindre une forme de maturité ou de liberté intérieure leur permettant d'aller au-delà de l'apparence et des standards de beauté. Et des idées reçues !

Selon Geneviève, il reste beaucoup à accomplir afin de faire évoluer la cause d'une image corporelle plus diversifiée. Elle m'explique, entre autres, qu'il faudrait pratiquement modifier tout le système des médias, basé principalement sur une certaine image très stéréotypée. Elle précise qu'il ne faut pas seulement de belles « grosses », mais aussi de belles « vieilles » et toutes sortes d'autres versions de diversité. Selon elle, chaque société possède son modèle de beauté; le nôtre manque incontestablement d'imagination ! Nous évoluons dans une société où il n'y a pas de place pour trop de différence. Parallèlement à cela, Geneviève ne ressent pas de colère envers les mannequins d'aujourd'hui; elle les perçoit plutôt comme des œuvres d'art et non comme des modèles auxquels il faut aspirer.

Les jeunes filles d'aujourd'hui ont besoin, à son avis, d'avoir des modèles non conformes, qui sortent de la boîte, mais qui soient également attrayants. L'objectif devrait être d'aider les jeunes filles à aimer *leur* réalité, *leur* corps. Les adultes qui entourent les jeunes filles doivent avoir un regard bienveillant sur elles afin de leur transmettre que tout ce qu'elles sont est fondamentalement aimable. Tellement juste et inspirant...

« Le bien-être,
c'est que tes pensées
soient en adéquation
avec tes sentiments
et avec une certaine
aisance physique. »

**70%
des hommes
sont insatisfaits
de leur apparence
physique.**

Grognan, S. et H. Richards (2002).
Body Image: Focus Groups with
Boys and Men. *Men and Masculinities*,
4 (3), p. 219-232.

Vanessa
Pilon

« Le bonheur, c'est comme... TOUT. C'est des petites choses. C'est partout. »

Étudiante en ballet jusqu'à l'âge de 16 ans, Vanessa a dû abandonner la danse à cause d'une blessure. Elle part alors à la découverte du monde, et s'implique auprès des communautés qu'elle côtoie, au sein d'organismes implantés tant en Chine qu'au Pérou, puis guide des groupes d'étudiants à l'étranger. Son ouverture sur le monde la porte vers le journalisme, qu'elle étudie pendant quatre ans à l'UQAM. Elle fait ses débuts au petit écran dans un court-métrage de Jean Malek, *Les Poissons*, puis décroche un premier rôle dans le long-métrage *Jo*. Elle voit sa carrière prendre un tournant lorsqu'elle se trouve à l'animation de *Glam* en 2010, puis de *Focus Tendance* l'été d'après. À l'été 2011, elle couvre les événements culturels sur la plateforme Web de Vtele.ca, ainsi que des contenus exclusifs tels que *Star Académie* ou *Occupation double* pour Vidéotron/Illico. En 2012, elle devient chroniqueuse pour la quotidienne *Salut, Bonjour !* Depuis peu, elle enchaîne les projets, dont, entre autres, la coanimation de *Vrak Attak* à Vrak TV.

C'est à l'âge de 12 ans que Vanessa a quitté la maison familiale pour être pensionnaire à Montréal et étudier la danse classique. À l'époque, elle ne se préoccupait pas de son alimentation ou de sa silhouette. Sa perception d'elle-même a toutefois changé lorsqu'elle s'est fait recommander par ses *coachs* de perdre du poids. Malgré ces commentaires, et grâce à son côté rebelle, elle a su ne pas plier sous la pression et n'a pas tenté de perdre du poids.

Par la suite, elle a dû abandonner la danse. Elle s'est retrouvée au cégep, mangeait normalement et ne s'entraînait plus. Elle a alors pris du poids et a dû vivre avec les commentaires de son entourage. C'est à ce moment qu'elle a pris pleinement conscience de la pression reliée à l'image corporelle.

Le rapport que Vanessa entretient avec son alimentation a beaucoup changé. Plus jeune, elle n'avait tout simplement pas de plaisir à manger et, étant très maigre, elle le faisait par obligation. Par la suite, elle me confie avoir eu une phase plus obsessionnelle. Au retour d'un voyage en Chine, elle décide de devenir végétarienne. Elle le fait alors dans le but de manger davantage santé, mais aussi par conscience environnementale et imprégnée d'un petit côté gauchiste. Elle a également fait des cures de jus, des jeûnes et des régimes. Elle reconnaît, avec le recul, avoir frôlé l'orthorexie dans sa quête passagère de « trop bien manger ».

Heureusement, Vanessa est aujourd'hui ailleurs et son alimentation est synonyme de plaisir. Elle est devenue très consciente des bénéfices associés à bien manger… tant pour son niveau d'énergie que pour sa conscience sociale. Elle s'est mise à s'intéresser aux notions nutritionnelles et à mieux comprendre ce qu'est une alimentation équilibrée. Elle dit « faire attention » tout en laissant de la place à son côté gourmand. Elle sent qu'elle a atteint un bon équilibre entre plaisir et apport nutritionnel.

Face à son image corporelle, Vanessa considère qu'elle a aussi beaucoup évolué. Elle a déjà été très performante par rapport à l'exercice physique et éprouvait beaucoup de culpabilité lorsqu'elle ne respectait pas ses objectifs. Elle m'explique que depuis que son horaire de travail est plus exigeant, elle a davantage de compassion envers elle-même. Elle fait du cardio quelques fois par semaine et s'adonne à la méditation.

« Le bien-être, c'est l'équilibre entre toutes les sphères de la vie. »

Autrefois habitée par le syndrome de l'imposteur, elle trouvait éprouvant de se regarder à la télévision et elle reconnaît avoir tenté de perdre du poids afin de mieux correspondre aux standards de beauté du monde de la télé. Elle m'explique que, selon elle, les médias sociaux créent maintenant un canal direct par lequel fusent les commentaires parfois désobligeants du public et que cela entraîne une pression supplémentaire. Après réflexion, je crois que Vanessa a décidé de montrer qui elle était réellement et de faire le deuil de l'unanimité. Aujourd'hui, elle se sent à l'aise avec l'image qu'elle projette. Elle ne trouve pas que son corps est parfait, mais elle est persuadée d'être vraiment à sa place. Et heureusement, les commentaires des autres ont beaucoup moins d'impact sur elle.

Nous bifurquons sur le thème de la pression culturelle et sur notre obsession collective en ce qui concerne l'apparence du corps. Vanessa soutient avec conviction que les médias sont tributaires de la publicité et que cela est purement issu d'une logique d'économie… et donc pas toujours de valeurs humaines. Selon elle, il est de la responsabilité de chacun de faire des choix de consommation conséquents avec ses propres valeurs. Nous devons poser des gestes concrets en choisissant, par exemple, de ne pas acheter certains produits si nous ne sommes pas en accord avec la philosophie qui se trouve derrière.

Vanessa est très sensible au contexte dans lequel les filles et les garçons d'aujourd'hui évoluent. Ces derniers sont aux prises avec une homogénéisation de l'image et le fait que tout le monde veut entrer dans le même moule. Cela crée, selon elle, une énorme pression sociale qui constitue un défi pour l'estime de soi des jeunes.

Le discours de Vanessa est franc, intelligent et surtout très inspirant !

« Pour moi, la beauté, c'est la lumière et quand les gens sont lumineux. »

vivre avec

son corps

D'où vient notre obsession pour le corps parfait ?

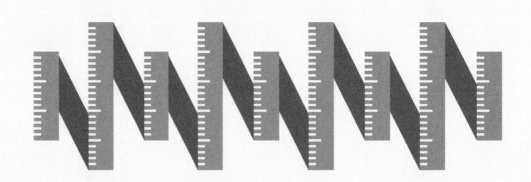

Vous êtes-vous déjà demandé comment nous en sommes arrivés à être si préoccupés par notre apparence et par l'aspiration au corps parfait ?

Une obsession
qui date

Il semble que les femmes aient été les premières touchées par la pression de correspondre à un certain idéal de beauté. Il est fascinant de réaliser que les femmes sont depuis toujours insatisfaites de certaines parties de leur corps et tentent de les manipuler dans le but de répondre aux standards de la société. Par exemple, il y a eu l'époque où l'on bandait les pieds, celle où l'on portait des corsets et celle où les bustiers étaient en vogue. Depuis longtemps, la technique de rembourrage est utilisée pour amplifier certaines parties du corps et, à l'inverse, le port du corset et des gaines et sous-vêtements amincissants pour minimiser et camoufler. Le corps de la femme n'a jamais été accepté tel qu'il est et les régimes amaigrissants, les plans d'entraînement, les produits de beauté et les interventions esthétiques ne sont que la version moderne de toutes ces contraintes imposées aux femmes (et maintenant aux hommes) depuis des années[1].

Une obsession qui
fait son apparition de
plus en plus tôt

Saviez-vous que, dès l'âge de 5 ans, les enfants commencent à se préoccuper de leur apparence physique[2] ? Et que chez nos adolescents québécois, plus de 40 % des filles et 34 % des garçons sont insatisfaits de leur image corporelle et disent vouloir modifier leur apparence[3] ? Très tôt, les enfants comprennent que certaines caractéristiques physiques sont attrayantes et que d'autres le sont moins. Et souvent, malheureusement, les expériences de vie des enfants viennent confirmer ces croyances. Nous n'avons qu'à penser au fait que les enfants considérés comme plus beaux reçoivent davantage d'attention de la part de leurs enseignants ou au fait que l'apparence et la silhouette sont les principales cibles d'intimidation chez les adolescents[4, 5]. Et au-delà de l'attrait physique, les enfants font davantage confiance aux gens qu'ils jugent beaux et perçoivent les personnes moins belles comme étant moins intelligentes, moins généreuses, moins efficaces et moins amicales[6, 7].

Une obsession constamment renforcée

Nous sommes, enfants comme adultes, bombardés d'images et de messages qui renforcent l'importance accordée à l'apparence et à la nécessité de correspondre à des critères de beauté spécifiques. Dans l'univers des enfants, par exemple, vous avez sûrement remarqué les mensurations irréalistes de la poupée Barbie et la silhouette des superhéros qui est devenue disproportionnellement musclée avec le temps[8]. L'impact de ces modèles de beauté se fait sentir, car ils font en sorte que les enfants entretiennent un idéal de beauté irréaliste, ce qui contribue à une moins bonne estime de soi corporelle chez eux[9]. Même constat chez les adolescents, où un lien est observé entre leur exposition constante à des messages qui véhiculent un modèle de beauté irréaliste (à travers les vidéos, les émissions, les modèles, etc.) et une perception plus négative de leur propre corps[10]. Et, toujours chez les adolescents, le fait de ne pas aimer son corps est associé à une humeur plus dépressive et à une moins bonne estime de soi[11]. Le même phénomène se perpétue à l'âge adulte, où le fait d'être exposé à des images de corps parfaits est associé à une moins bonne estime de soi corporelle[12, 13]. Finalement, l'arrivée des médias sociaux multiplie notre exposition à l'idéal de beauté véhiculé et contribue à amplifier notre malaise à l'égard de notre apparence[14].

Une obsession dont
on doit se défaire

Comme vous pouvez le constater, notre obsession du corps parfait existe depuis très longtemps et nous sommes submergés d'images et de messages qui alimentent notre inconfort. À mon avis, tout débute avec nos tout-petits chez qui le conditionnement à glorifier certains traits physiques est déjà fortement établi. Il est donc du rôle des parents, des éducateurs et des enseignants de véhiculer un message où l'accent sera mis davantage sur l'unicité de chacun, sur ses particularités et ses points forts, et beaucoup moins sur l'apparence. Au-delà du message transmis à nos enfants, nous avons également la responsabilité d'être un modèle auprès d'eux en entretenant nous-mêmes un rapport sain avec notre corps.

Je crois que nous devons tous nous questionner quant à notre rapport à notre corps. Il me semble essentiel que nous fassions un effort collectif afin de remettre en question le modèle de beauté qui nous est proposé et, du même coup, que nous nous engagions à vivre en meilleure harmonie avec notre corps.

Références

....

1- Ogden, J. (2010). *The Psychology of Eating. From Healthy to Disordered Behavior, Second Edition*. West Sussex : Wiley-Blackwell Press.

2- Tremblay L.G., Lovsin, T., Zecevic, C. et Larivière, M.A. (2011). Perceptions of self in 3-5-years-old children: a preliminary investigation into the early emergence of body dissatisfaction. *Body Image*, 8(3), 287-292.

3- Conseil des ministres de l'Éducation. Étude *sur les jeunes, la santé sexuelle, le VIH et le sida au Canada : facteurs influant sur les connaissances, les attitudes et les comportements*, Toronto, le Conseil, 2003, 162 p.

4- Kenealy, P., Frude, N. et Shaw, W. (2001). Influence of Children's Physical Attractiveness on Teacher Expectations. *The Journal of Social Psychology*, 128(3), 373-383.

5- Davis, S. et Nixon, C. (2010). *"Youth Voice Research Project," Preliminary results*. PA: Penn State Erie, The Behrend College.

6- Bascandziev, I. et Harris, P.L. (2014). In beauty we trust : Children prefer information from more attractive informants. *British Journal of Developmental Psychology*, 32, 94-99.

7- Griffin, A.M. et Langlois, J.H. (2006). Stereotype directionality and attractiveness stereotyping : is beauty good or is ugly bad ? *Social Cognition*, 24(2), 187-206.

8- Pope, H.G., Olivardia, R., Gruber, A. et Borowiecki, J. (1999). Evolving ideals of Male Body Image as Seen Through Action Toys. *International Journal of Eating Disorders*, 26, 65-72.

9- Dittmar, H., Halliwell, E. et Ive, S. (2006). Does Barbie make girls want to be thin ? The effects of experimental exposure to images of dolls on the body image of 5- to 8-years-old girls. *Developmental Psychology*, 42(2), 283-292.

10- Spurr, S., Berry, L. et Walker, K. (2013). Exploring Adolescent Views of Body Image : The Influence of Media. *Comprehensive Pediatric Nursing*, 36(1-2), 17-36.

11- Paxton, S.J., Newmark-Sztainer, D., Hannan, P.J. et Eisenberg, M. (2006). Body Dissatisfaction Prospectively Predicts Depressive Mood and Low Self-Esteem in Adolescent Girls and Boys. *Journal of Clinical Child and Adolescent Psychology*, 35(4), 539-549.

12- Green, S.P. et Pritchard, M.E. (2003). Predictors of Body Image Dissatisfaction in Adult Men and Women. *Social Behavior and Personality*, 31(3), 215-222.

13- Gudnadottir, U. et Gardarsdottir, R.B. (2014). The influence of materialism and ideal body internalization on body-dissatisfaction and body-shaping behaviors of young men and women : Support for the Consumer Culture Impact Model. *Personality and Social Psychology*, 55, 151-159.

14- Fardouly, J., Diedrichs, P.C., Vartanian, L.R. et Halliwell, E. (2015). Social comparisons on social media : the impact of Facebook on young women's body image concerns and mood. *Body Image*, 13, 38-45.

Les hommes
et leur rapport
au corps

Pendant longtemps, les préoccupations liées à l'apparence et au contrôle du corps ne concernaient à peu près que les femmes. Toutefois, depuis une vingtaine d'années, les hommes sont devenus de plus en plus préoccupés par leur apparence et ont même presque rattrapé les femmes.

Saviez-vous qu'environ 70 % des hommes se disent insatisfaits de leur apparence physique[1] ? Mais comment se fait-il que nous entendions si peu parler de ce que vivent les hommes et de la relation qu'ils entretiennent avec leur corps ?

Mon impression est que le sujet reste encore tabou et que nous commençons à peine à questionner, à explorer et à étudier les hommes sous cet angle.

Comment expliquer que
les hommes soient maintenant
eux aussi touchés par
l'obsession du corps parfait ?

Une première explication vient du fait que les stéréotypes de beauté masculine ont évolué. L'arrivée des stéroïdes anabolisants dans le monde du sport dans les années soixante-dix a grandement influé sur l'image du corps masculin[2]. Sans savoir que cette nouvelle image du corps musclé n'était pas atteignable naturellement, les hommes se sont mis à vouloir obtenir un corps athlétique et défini. Par la suite, ce ne sont pas uniquement les hommes qui ont changé leur perception du corps idéal masculin, mais toute la société. Avez-vous remarqué, par exemple, que les icônes masculines des années soixante-dix sont beaucoup moins massives et musclées que celles d'aujourd'hui ? Même constat pour les acteurs et les mannequins qui se retrouvent sur nos écrans et dans nos pages de magazines. Nous ne pouvons que constater que ce que nous concevions anciennement comme un bel homme a passablement changé.

Actuellement, à quoi ressemble l'homme que nous trouvons beau ? Oui, il est encore musclé... Mais il est également grand, mince et il a une apparence soignée. On aime qu'il ne soit pas trop poilu (mais qu'il ne souffre pas de calvitie), qu'il s'habille avec style et qu'il sente bon. Une industrie très lucrative a d'ailleurs vu le jour afin de proposer de multiples moyens aux hommes pour qu'ils atteignent ces nouveaux (et très exigeants) standards de beauté. Plusieurs magazines, produits de beauté, suppléments et autres soins ne s'adressent maintenant qu'aux hommes. Au Québec, 15 % des hommes ont déjà tenté de perdre du poids en faisant un régime amaigrissant[3]. Même chose pour l'entraînement : les hommes représentent presque la moitié des abonnés des centres de conditionnement physique[4]. Et les hommes américains constituent à présent 8 % des patients qui, chaque année, ont recours à la chirurgie esthétique[5].

Un deuxième phénomène qui semble avoir contribué à l'apparition des préoccupations liées à l'image corporelle chez les hommes serait de nature socioéconomique. Depuis une trentaine d'années, les femmes sont plus présentes sur le marché du travail et beaucoup moins dépendantes des hommes. Que les femmes soient plus indépendantes a fait en sorte que les hommes ont dû se redéfinir dans leur masculinité. Une hypothèse est que le développement d'une imposante masse musculaire (plus difficile à obtenir chez les femmes) soit devenu une façon qu'ont les hommes d'affirmer leur masculinité. D'ailleurs, nous associons fréquemment musculature imposante à pouvoir, à force, à dominance et à efficacité[6].

Et comment se sentent les hommes face au stéréotype de beauté masculine actuel ?

Pas très bien… Tout comme les femmes, les hommes vivent avec la pression de ressembler à un modèle irréaliste et difficilement atteignable et cela a pour conséquence qu'ils ressentent une insatisfaction grandissante à l'égard de leur corps et ont une estime de soi corporelle moins bonne[7]. Même si les hommes l'expriment peut-être moins ouvertement que les femmes, la majorité d'entre eux souhaite posséder un corps qui se situe assez loin de leur corps actuel[8].

Pour que les hommes se sentent mieux...

Comparativement à celle des femmes, l'obsession des hommes pour le corps parfait est somme toute assez récente. C'est pour cette raison qu'il existe un décalage quant aux prises de conscience que les hommes (mais aussi nous tous) doivent faire en ce qui concerne leur rapport au corps. Je crois que c'est en démystifiant le modèle de beauté masculine actuel, en parlant de ce qu'éprouvent les hommes à l'égard de leur corps et en prenant position par rapport à la pression qu'ils ressentent que nous avancerons lentement, mais sûrement vers une meilleure estime de soi corporelle masculine.

Références

....

1. Grognan, S. et Richards, H. (2002).
Body Image: Focus Groups with Boys and
Men. *Men and Masculinities*, 4(3), 219-232.

2. Pope Jr., H.G., Phillips, K.A. et Olivardia,
R. (2000). *The Adonis Complex* : The secret
crisis of male body obsession. New York :
Touchstone Editions.

3. Gouvernement du Québec, Institut de
la statistique du Québec (2010). *Enquête
québécoise sur la santé de la population,
2008 : pour en savoir plus sur la santé
des Québécois.*

4. Source : Julie Le Gruiec de chez
Énergie Cardio.

5. *2014 Plastic Surgery Statistics Report.*
American Society of Plastic Surgeons.
www.plasticsurgery.org

6. Barlett, C.P., Vowels, C.L. et Saucier, D.A.
(2008). Meta-analysis of the effects of media
images on men's body image concerns.
Journal of Social and Clinical Psychology,
27(3), 279-310.

7. Pope Jr., H.G., Gruber, A.J., Mangweth, B.,
Bureau, B., DeCol, C., Jouvent, R. et Hudson,
J.I. (2000). Body image perception among
men in three countries. *American Journal
of Psychiatry*, 157, 1297-1301.

Le piège
des régimes
amaigrissants

Connaissez-vous une personne
qui n'a jamais essayé,
un jour ou l'autre, d'entreprendre
un régime amaigrissant ?

De la même manière, trouvez-vous
que tout le monde parle de poids,
de contrôle de l'alimentation et
de son corps imparfait ?

Au Québec, 40 % des personnes
âgées de 15 ans et plus ont déjà
entrepris un régime amaigrissant
sur une période d'un an[1].

**Mais d'où vient cette
idée d'être continuellement
au régime ?**

Dans notre société actuelle, la minceur est devenue l'élément central de notre stéréotype de beauté. Et la minceur n'est pas uniquement convoitée d'un point de vue esthétique... Malgré que cela constitue un mythe, la minceur est également associée à bonheur, à succès, à contrôle de soi et à liberté[2]. Et, à l'opposé, les personnes rondes subissent de la discrimination parce que nous associons le fait de ne pas être mince à paresse, à manque de motivation et à gloutonnerie[3]. Alors comment ne pas avoir envie d'être mince à tout prix ? Cette obsession collective pour la minceur a donné naissance à l'industrie de l'amaigrissement, qui génère 60 milliards de dollars par année aux États-Unis[4]. Nous sommes bombardés de publicités, articles, produits et gourous qui nous suggèrent de multiples moyens pour perdre du poids.

**Alors, quel est
le problème ?**

Le problème est que 85 à 95 % des personnes qui perdent du poids à la suite d'un régime amaigrissant reprennent le poids perdu et même plus dans les cinq années qui suivent[5]. Ceux d'entre vous qui ont déjà entrepris des régimes amaigrissants connaissent sûrement bien le cercle vicieux que ces derniers engendrent. Tout débute avec la mise en place du contrôle et d'une privation alimentaire. Cette période que j'appelle la « lune de miel », parce que vous voyez les chiffres diminuer sur le pèse-personne, est euphorisante, je vous l'accorde. Mais elle ne dure pas ! La privation est inévitablement suivie de moments de faiblesse où vous « trichez » et dérogez du carcan du régime. Vous vous sentez alors coupable et mis en échec. L'abandon du régime et le laisser-aller qui suivront sont typiques. Vous vous dites alors que vous vous reprendrez demain, lundi ou l'année prochaine... et le cercle vicieux recommence.

**Mais qu'est-ce qui fait
que les régimes amaigrissants
sont voués à l'échec ?**

Dans un premier temps, il est faux de penser que notre poids
est aussi malléable que ce qu'on nous laisse croire, car il
est grandement influencé par notre génétique. Notre poids
est physiologiquement prédisposé autour d'un intervalle de
poids que le corps va tâcher de maintenir, c'est ce que nous
appelons le « poids naturel » ou le « poids d'équilibre ».
Vous n'avez qu'à vous imaginer que la régulation de
notre poids s'apparente au rôle du thermostat qui gère le
fonctionnement de la fournaise et qui permet de maintenir
la température ambiante stable. Si, par exemple, je fixe mon
thermostat à 20 °C, une chute de température (perçue par
le thermostat) fera se déclencher la fournaise, tandis qu'une
hausse de température fera en sorte que la fournaise cessera
de fonctionner. D'autres fonctions du corps sont d'ailleurs
régulées de la même manière, comme la température
corporelle maintenue à 37 °C. C'est ce qui explique que
lorsque nous imposons une restriction trop sévère à notre
corps (par exemple, un régime amaigrissant), le métabolisme
ralentit et brûle moins efficacement les calories afin de se
protéger et de maintenir un poids stable. Plusieurs facteurs
déterminent quel sera le poids naturel d'une personne tels
que l'hérédité, l'âge (le poids naturel tend à augmenter avec
l'âge), le métabolisme de base et les habitudes alimentaires[6].

En imposant à notre corps des habitudes alimentaires
restrictives, comme dans le cas des régimes amaigrissants,
nous provoquons un ralentissement du métabolisme,
ce qui devient incompatible avec une perte de poids saine
et durable. Les régimes à répétition peuvent même, à long
terme, faire augmenter notre poids naturel[7]. Les personnes
ayant suivi plusieurs régimes amaigrissants sans succès ne
notent-elles pas qu'après l'échec de chacun des régimes
entrepris leur poids a constamment augmenté ?

L'échec des régimes amaigrissants s'explique aussi par la théorie de la restriction. Faire un régime amaigrissant signifie que l'on impose à notre corps des limites quant à ce que l'on se permet de consommer dans une journée et cela met notre corps dans un état de privation. Ne recevant pas ce dont il a besoin, le corps va réagir... Il tentera d'aller chercher ce dont il a besoin en favorisant des *cravings*, ces moments de rage où l'on ne peut tout simplement pas résister à un aliment parce que nous nous sentons affamés et insatiables. La restriction alimentaire augmente également la probabilité d'outremanger. Pourquoi ? Parce qu'une des conséquences de la restriction alimentaire est de dérégler nos signaux de faim et de satiété[8]. Autre fait important : rappelez-vous que l'interdit est attrayant. C'est pour cette raison qu'en éliminant les aliments plaisir et les gâteries (comme dans le contexte d'un régime amaigrissant), ils ne nous attirent que davantage.

L'alternative aux régimes amaigrissants

Ma suggestion est de mettre un terme à ce perpétuel cercle vicieux et de plutôt vous inciter à prendre la résolution de développer une relation saine avec les aliments. Je réalise que cela demeure un concept vague. La tendance est plutôt aux résultats concrets et rapides. Viser une relation saine avec les aliments est pourtant votre meilleure chance d'atteindre votre poids santé. Le premier objectif consiste à acquérir de saines habitudes alimentaires en apprenant les bonnes notions relatives à la quantité, à la variété, à l'horaire et aux habitudes de consommation (selon le Guide alimentaire canadien). Un deuxième objectif est d'être à l'écoute de ses signaux de faim et de satiété. Un troisième objectif est de ne pas s'interdire complètement certains aliments, puisque cela les rend plus attrayants et favorise l'obsession (donc on oublie les régimes !). Un quatrième objectif est de prendre conscience de la fonction des aliments dans sa vie (m'aident-ils à gérer mes émotions, par exemple ?). Finalement, il est important de se questionner sur ses motivations à perdre du poids et sur sa quête d'un corps parfait.

Références

1- Gouvernement du Québec, Institut de la statistique du Québec (2008). *Enquête québécoise sur la santé de la population, 2008 : pour en savoir plus sur la santé des Québécois.*

2- Ogden, J. (2010). *The Psychology of Eating. From Healthy to Disordered Behavior, Second Edition.* West Sussex: Wiley-Blackwell Press.

3- Brownell, K.D., Puhl, R.M., Schwartz, M.B. et Rudd, L. (2005). *Attribution and weight-based prejudice.* Dans *Weight biasconsequences and remedies.* New York : Guilford Press.

4- Institut national de la Santé publique du Québec, 2012.

5- Institut national de la Santé publique du Québec, 2008.

6- Bennett, W. et Gurin, J. (1982). *The dieter's dilemmaeating less and weighting more.* New York : Basic Books.

7- Polivy, J. et Herman, C.P. (1983). *Breaking the diet habit.* New York : Basic Books.

8- Ogden, J. (1994). Restraint theory and its implications for obesity treatment. *Clinical Psychology and Psychotherapy*, 2(4), 191-201.

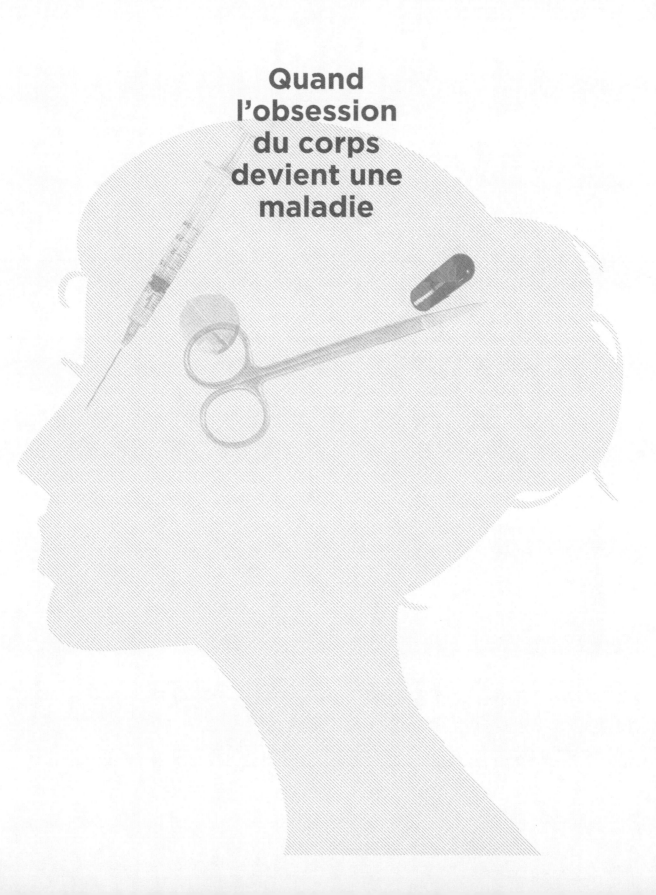

Quand l'obsession du corps devient une maladie

La majorité des gens sont insatisfaits de leur corps et souhaiteraient le changer. Par contre, pour certaines personnes, l'insatisfaction corporelle va bien au-delà de l'inconfort et bascule dans la maladie. De la même manière, pour la plupart des gens, manger est une nécessité et même un plaisir.

Mais saviez-vous que pour les personnes qui souffrent d'un trouble de l'alimentation, manger est un réel cauchemar qui s'accompagne souvent d'anxiété, de peur, de culpabilité et de honte ?

Bien que les troubles de l'alimentation soient moins tabous qu'auparavant, il reste encore beaucoup à faire pour éduquer, démystifier, prévenir et guérir.

Qu'est-ce qu'un
trouble de l'alimentation ?

Avoir un trouble de l'alimentation, c'est être obsédé par le contrôle de son alimentation et de son corps. Au Québec, environ 3 % des filles et des femmes âgées de 13 à 30 ans (30 000 personnes) souffrent d'un trouble de l'alimentation[1]. Et saviez-vous que 10 % des personnes ayant un trouble de l'alimentation meurent des complications reliées à leur trouble et que cela constitue le plus haut taux de mortalité de tous les troubles psychologiques[2] ?

Il existe trois troubles de l'alimentation officiels : l'anorexie, la boulimie et l'hyperphagie boulimique[3].

La personne qui souffre d'ANOREXIE a une peur intense de prendre du poids ou de devenir grosse, et ce, même si son poids est inférieur à la normale. Aux prises avec des obsessions liées au contrôle du poids et de la nourriture, la personne souffrant d'anorexie tente de restreindre son apport alimentaire de façon draconienne, d'éliminer divers groupes d'aliments, de calculer les calories, de peser les aliments, de se peser fréquemment elle-même et de faire de l'exercice excessif. Chez les jeunes femmes, l'anorexie engendre l'aménorrhée (l'absence des menstruations). Il est aussi possible qu'une personne qui souffre d'anorexie ait, à l'occasion, des crises de boulimie, des vomissements ou abuse de laxatifs. L'anorexie se développe habituellement à l'adolescence. Environ 10 % des personnes qui souffrent d'anorexie sont des hommes[4].

La personne qui souffre de BOULIMIE a des épisodes où elle va manger de grandes quantités de nourriture en peu de temps en ayant un sentiment de perte de contrôle, ce que nous appelons des « orgies alimentaires ». Les orgies alimentaires sont suivies de comportements qui visent à prévenir la prise de poids tels des vomissements provoqués, l'abus de laxatifs, de diurétiques, de lavements ou d'autres médicaments, ainsi que de jeûnes ou d'exercice excessif. Il est également possible de souffrir de boulimie sans se faire vomir ni abuser de laxatifs. La boulimie se développe fréquemment au moment de la transition à l'âge adulte. Comme pour l'anorexie, environ 10 % des personnes qui souffrent de boulimie sont des hommes[5].

La personne qui souffre d'HYPERPHAGIE BOULIMIQUE présente des épisodes où elle mange de grandes quantités de nourriture. Ces épisodes sont habituellement accompagnés des éléments suivants : manger rapidement, manger jusqu'à se sentir inconfortable physiquement, manger sans avoir faim, manger seul ou en cachette, se sentir honteux et coupable. La personne qui souffre d'hyperphagie boulimique présente généralement un surplus de poids. Environ 40 % des personnes qui souffrent d'hyperphagie boulimique sont des hommes[6].

Officieusement, car ce sont des troubles qui ne possèdent pas encore de critères diagnostiques officiels, il existe également l'orthorexie et la dysmorphie musculaire (ou la bigorexie). La personne qui souffre d'ORTHOREXIE devient excessivement préoccupée par le fait d'avoir une alimentation dite « saine ». Elle mange selon des règles rigides et contraignantes. Les aliments choisis sont souvent sans gras, sans produits chimiques, sans substances modifiées, sans protéines animales, sans farine blanche, etc. Le nombre de règles et leur rigidité s'accentuent progressivement et beaucoup de temps vient à être alloué à la planification et à la préparation de l'alimentation, ainsi qu'à l'évaluation du contenu de chaque aliment.

La personne qui souffre de DYSMORPHIE MUSCULAIRE est obsédée par l'idée d'avoir un corps mince et musclé. Conséquemment, elle consacre un nombre d'heures démesuré à faire de l'exercice physique et à surveiller son alimentation. Certaines personnes en viennent même à consommer des suppléments néfastes, des poudres protéinées, des stéroïdes anabolisants ou d'autres substances. Il est fréquent qu'une personne qui souffre de dysmorphie musculaire continue à pratiquer son sport malgré des blessures, l'épuisement ou la maladie. Finalement, la vie sociale, la vie amoureuse et les obligations quotidiennes sont souvent mises de côté afin de laisser place aux heures consacrées à l'activité physique. La dysmorphie musculaire touche principalement les hommes[7].

Les troubles de l'alimentation ont une cause multifactorielle, ce qui veut dire qu'ils sont le résultat de l'interaction de facteurs biologiques, psychologiques et sociaux. Il est habituellement très difficile de se rétablir d'un trouble de l'alimentation seul. C'est pour cette raison qu'il est fortement recommandé d'obtenir un suivi spécialisé. Les troubles de l'alimentation sont traités dans le cadre d'un suivi psychologique. Il devient toutefois primordial d'y jumeler des suivis médical et nutritionnel afin de bien superviser les aspects physiques et médicaux associés aux troubles de l'alimentation (carences nutritionnelles, médication si besoin).

Si vous pensez souffrir d'un trouble de l'alimentation, n'hésitez pas à aller chercher de l'aide, car il est possible de s'en sortir, je le constate tous les jours dans mon bureau ! Si une personne près de vous souffre d'un trouble de l'alimentation, vous pouvez la soutenir en l'aidant à aller chercher de l'aide et en l'appuyant dans ses démarches. L'organisme ANEB Québec est une ressource indispensable pour les personnes atteintes d'un trouble de l'alimentation et leurs proches[8].

Références

....

1- Institut Douglas en santé mentale, 2013.

2- Sullivan, P. (2002). *Course and outcome of anorexia nervosa and bulimia nervosa.* Dans Fairburn, C.G. & Brownell, K.D. (Eds.). *Eating Disorders and Obesity* (p. 226-232). New York : Guilford.

3- American Psychiatric Association (2013). *Diagnostic and statistical manual of mental disorders* (5th ed.). Washington, DC.

4- Gueguen, J., Godart, N., Chambry, J., Brun-Eberentz, A., Foulon, C. et Divac, S.M. (2012). Severe anorexia nervosa in men : comparison with severe AN in women and analysis of mortality. *International Journal of Eating Disorders*, 45(4), 537-545.

5- Weltzin, T. (2005). Eating disorders in men: Update. *Journal of Men's Health & Gender*, 2, 186-193.

6- Hudson, J.I., Hiripi, E., Pope Jr., H.G. et Kessler, R.C. (2007). The prevalence and correlates of eating disorders in the National Comorbidity Survey Replication. *Biological Psychiatry*, 61(3), 348-358.

7- Pope Jr., H.G., Phillips, K.A. et Olivardia, R. (2000). *The Adonis Complex : The secret crisis of male body obsession*. New York : Touchstone Editions.

8- www.anebquebec.com

Mieux vivre avec son corps

L'obsession collective que nous entretenons à propos de l'apparence et du corps parfait est extrêmement néfaste. Bien qu'il n'y ait jamais eu autant de moyens à notre disposition pour « supposément » se sentir bien dans notre corps, peu de gens semblent être en paix avec leur apparence physique.

Saviez-vous que 90 % des femmes n'aiment pas leur silhouette et que 70 % des hommes sont insatisfaits de leur apparence[1, 2] ?

Nonobstant la pression culturelle de correspondre à un idéal de beauté et le pouvoir médiatique d'une industrie qui capitalise sur notre insatisfaction corporelle, nous devons trouver des moyens pour nous libérer de cette pression et favoriser une meilleure estime de soi corporelle.

Accepter la
diversité corporelle

Saviez-vous que nous sommes tous prédisposés à avoir une silhouette, un poids, une morphologie et un métabolisme différents ? Et que tout comme la couleur de nos yeux et de nos cheveux, plusieurs parties de notre corps sont tributaires, entre autres, de notre bagage génétique, de notre âge et de plusieurs autres facteurs hors de notre contrôle ? C'est ce que nous appelons « la diversité corporelle ». Il est donc erroné de penser que nous pouvons tous aspirer à ressembler au modèle de beauté que l'on nous impose, et ce, même avec les meilleurs régimes amaigrissants, plans d'entraînement et autres moyens. Tenter de modifier ses propres attributs est tout simplement tomber dans un piège et poursuivre un objectif inatteignable ; les statistiques sont là pour le prouver. Une première étape consiste donc à cesser de vouloir changer qui nous sommes et à revendiquer notre unicité, et ce, malgré le stéréotype de beauté actuel et toutes les solutions que l'on nous propose.

S'accepter tel que l'on est ne veut pas dire se laisser aller, tant sur le plan alimentaire que corporel. Au contraire ! S'accepter signifie plutôt prendre soin de son corps et de sa santé. Saviez-vous que plusieurs personnes que l'on considère comme rondes (selon nos critères de beauté) sont en pleine forme physique et souvent même en meilleure santé que bien des personnes minces ? D'ailleurs, adhérer à des habitudes de vie saines a été associé à un taux de mortalité moins élevé, et ce, indépendamment du poids[3]. L'idée n'est donc pas de valoriser l'obésité, mais plutôt d'axer nos efforts sur des habitudes de vie associées à une bonne santé. Le mouvement américain Health at Every Size fait la promotion de cette philosophie afin de favoriser une meilleure acceptation de soi et une diminution de la discrimination envers les personnes rondes[4]. Mais concrètement, comment arriver à moins accorder d'importance à l'apparence et davantage au bien-être et à la santé ?

Cesser de
se comparer

La pression qu'engendre un unique modèle de beauté fait en sorte que l'on s'y compare constamment et que l'on se compare également avec les autres. La beauté et le bien-être passent davantage par une meilleure conscience de son corps, de ses forces et de son caractère unique. Nous pourrions nous comparer jusqu'à la fin des temps sans jamais vraiment en venir à être satisfaits. Nous devons faire le deuil du corps parfait et cesser d'y faire référence.

Changer son
discours intérieur

Vous savez, ces commentaires et petites phrases que vous vous dites à vous-même, comme « Je suis laide » ou «Je suis trop gros » ? C'est ce que l'on appelle « le discours intérieur »... cette petite voix qui vous murmure des choses parfois dénigrantes et dévalorisantes. Souvent, nous n'oserions même pas parler à quelqu'un d'autre comme nous nous parlons à nous-mêmes ! Ce discours négatif que plusieurs entretiennent à l'égard de leur apparence affecte directement le malaise qu'ils peuvent ressentir à l'égard de leur corps. Sans nécessairement basculer dans la pensée positive en se lançant des fleurs de façon superficielle, s'accepter tel que nous sommes en choisissant de mettre en valeur nos attributs et en accordant volontairement moins d'importance à nos petites imperfections contribuera à une meilleure appréciation de soi. La bonne nouvelle est qu'en ayant des pensées plus positives, nous nous sentirons inévitablement mieux dans notre peau[7].

Donner à son corps
ce dont il a besoin

Pour bien fonctionner physiquement et psychologiquement, notre corps a besoin d'énergie. Sur le plan alimentaire, cela signifie donner à son corps une quantité, une qualité et une variété d'aliments afin de se sentir vivant, plein d'énergie et positif[5]. De plus, il est essentiel de ne pas lui imposer de privation extrême, de ne pas le gaver et d'écouter ses signaux de faim et de satiété. Le corps a aussi besoin de s'activer. Saviez-vous qu'en plus des bénéfices indiscutables de l'activité physique sur la santé, faire de l'activité physique a également des effets positifs sur l'humeur, l'estime de soi, la concentration, le sommeil et le stress[6] ? L'objectif est de trouver une activité physique axée sur le plaisir et non sur l'obligation et la contrainte.

Cultiver le plaisir
et la bienveillance

Au-delà de ce que nous « avons l'air », nous « sommes ». Il ne serait pas juste de complètement écarter l'importance qu'a notre enveloppe corporelle, mais il faut définitivement en diminuer la portée. Nous n'avons jamais été aussi obsédés par notre apparence et, ironiquement, à la fois si mal à l'aise et insatisfaits. Si nous nous concentrions à « être » bien au lieu d'« avoir l'air » bien... En cessant d'adhérer au stéréotype de beauté, en cessant de se comparer, en prenant soin de soi et en s'acceptant pour qui l'on est, je crois qu'il devient alors possible de se sentir libéré et, oui, mieux avec son corps.

Références

....

1- Hutchison, M.G. (1985). *Transforming body image : Learning to love the body you have.* New York : The Crossing Press.

2- Grognan, S. et Richards, H. (2002). Body Image: Focus Groups with Boys and Men. *Men and Masculinities*, 4(3), 219-232.

3- Matheson, E.M., King, D.E. et Everett, C.J. (2012). Healthy lifestyle habits and mortality in overweight and obese individuals. *Journal of the American Board of Family Medicine*, 25(1), 9-15.

4- Health at Every Size. www.haescommunity.org

5- Guide alimentaire canadien. www.canadiensensanté.com

6- Bingham, P.B. (2009). *Physical Activity and Mental Health Literature Review. Minding you bodies-heathy eating and physical activity for mental health.* www.mindourbodies.ca

7- Cash, T.F. (2008). *The Body Image Workbook, Second Edition.* Oakland, CA : New Harbinger Publications.

Marie-Claude Barrette

Marie-Claude s'est intéressée très jeune à la vie politique : elle voulait changer les choses pour améliorer le quotidien des gens. Au fil de ses 20 ans de vie politique, elle a fait ses études en sciences économiques, mais elle n'a jamais travaillé dans ce domaine. Elle a plutôt opté pour le milieu culturel. Elle a occupé le poste de responsable du financement pour le musée du Bas-Saint-Laurent et de directrice générale de l'École de musique de Rivière-du-Loup. De retour dans la région de Montréal, après avoir habité dans le Bas-Saint-Laurent près de 14 ans, elle réoriente sa carrière. En devenant collaboratrice, il y a six ans, à l'émission *Deux filles le matin*, elle était loin de se douter qu'elle ouvrait la grande porte du monde des communications. Entre-temps, elle a été à la barre de la série documentaire *Simplement vedette*. Elle a publié son premier livre, *La couveuse*, aux éditions Librex. Marie-Claude a aussi récemment animé l'émission *Virages* sur les ondes de TVA.

Mon entretien avec Marie-Claude s'est déroulé exactement à l'image de la personne qu'elle est... dans la générosité, l'authenticité et la bonne humeur. Dotée d'un regard franc et rieur, Marie-Claude est une femme qui réussit à afficher ses vraies couleurs et à rester elle-même.

Pour elle, l'alimentation est étroitement reliée au plaisir. Et le plaisir débute dès le moment où elle doit aller faire des achats... Marie-Claude aime la culture du marché fragmenté, où faire les courses signifie aussi prendre le temps de parler au boucher et au poissonnier. Chez elle, il faut que tout soit rempli, comme le garde-manger et le frigo. Cela est réconfortant et assure que les siens ne manqueront de rien. De la même manière (et malgré un horaire très chargé !), Marie-Claude prépare toujours les lunchs de ses enfants. Savoir qu'à l'heure du midi ses enfants auront un bon dîner qu'elle aura préparé la rend vraiment heureuse.

Marie-Claude ne s'est jamais imposé de règles quant à l'alimentation, et chez elle il n'y a pas d'aliments interdits. Il y a des gâteries dans son garde-manger, mais elle reconnaît ne pas en consommer fréquemment. Elle poursuit en m'expliquant que, depuis quelques années, elle a davantage conscience de la qualité des aliments qu'elle choisit. C'est pour cette raison qu'elle ne mange que très rarement de la malbouffe. Les frites et les chips restent donc de petits plaisirs qu'elle s'accorde, mais toujours en harmonie avec une alimentation équilibrée.

Marie-Claude me raconte que, lorsqu'elle était petite, ses parents recevaient tous les dimanches soir et qu'elle garde de vraiment beaux souvenirs de ces rassemblements. Ayant voulu perpétuer cette tradition, Marie-Claude me dit qu'à son tour elle adore rassembler les gens qu'elle aime. Et c'est exactement ce que le moment du repas signifie pour elle. Elle tient à prendre les repas quotidiens entourée de son amoureux et de leurs trois enfants et ces moments sont tout simplement sacrés !

« Le bien-être, c'est réussir à arrêter la roue des préoccupations quotidiennes... Quand j'arrive à arrêter ça, j'atteins un état de bien-être et je vis pleinement ce qui se passe devant moi. »

« La première image
qui me vient en tête,
c'est Grace Kelly.
Quand j'étais petite,
elle et Sissi représentaient
la beauté. Elles étaient
de belles femmes, mais
je n'ai jamais aspiré
à leur ressembler. »

Nous bifurquons vers l'image corporelle et la relation que Marie-Claude entretient avec son corps. Sur cet aspect, elle tente aussi de maintenir une certaine forme d'équilibre. Limitée par une fracture au dos qui date de cinq ans et par un accident qui lui a fait perdre 40 % de l'usage de son bras droit, elle doit éviter certains mouvements. Malgré cela, elle fait de l'exercice et, selon les périodes, ce qu'elle pratique comme sport peut varier. Actuellement, elle dit aimer marcher et promener son nouveau chien.

Marie-Claude me confie être exaspérée par les gens qui parlent toujours de poids, car, selon elle, cela relève du domaine privé. Elle soutient qu'ironiquement les gens avaient davantage un problème avec son poids avant qu'elle fasse de la télévision. Elle sentait alors que certaines personnes souhaitaient qu'elle se « prenne en main ». Depuis qu'elle fait partie du paysage télévisuel québécois, Marie-Claude n'a jamais reçu de commentaires désobligeants sur son poids. Elle m'explique que si on ouvre la porte aux commentaires sur l'apparence, il est difficile par la suite de la refermer. C'est pour cette raison qu'elle ne montre jamais de faiblesse sur ce sujet. Je la sens bien avec elle-même en lien avec cet aspect de sa vie et même fière que cela n'ait jamais été un enjeu pour elle.

Marie-Claude possède cette présence et cette chaleur qui font en sorte que plusieurs femmes s'identifient à elle. Très accessible, Marie-Claude prend régulièrement le temps de parler aux femmes qu'elle rencontre. Elle réalise que, pour ces dernières, elle représente une vraie femme – pas parfaite et surtout pas refaite ! Contrairement à plusieurs personnes dans le milieu de la télévision, elle n'a jamais eu d'intervention esthétique, et ce, surtout par principe. Elle me dit s'être donné la responsabilité de rester un *spécimen naturel*. « Nous sommes dans une période de mutation quant à notre image corporelle et je me demande à quoi ressembleront les femmes et les hommes dans 25 ans... »

Selon elle, il manque de modèles féminins « vrais » à la télévision et cela donne l'impression aux téléspectateurs que ce qu'ils voient à l'écran est la réalité. Elle poursuit en me disant qu'il nous faut davantage d'émissions comme *Unité 9*, où l'on peut voir toutes sortes de femmes, de corps, de rides et de formes. De la même manière, Marie-Claude se dit navrée que l'on mette si rapidement de côté les personnes vieillissantes, autant dans la vie de tous les jours qu'à la télévision.

Maman de trois enfants, elle réalise qu'il y a beaucoup à faire pour que nos valeurs de société s'éloignent de la perfection et fassent plutôt place à la diversité corporelle. Le plus beau cadeau que l'on puisse faire à nos jeunes, selon elle, est de les pousser à être vrais et authentiques à l'endroit de qui ils sont réellement. Nous devons faire un effort collectif afin que l'on se souvienne tous de ce qu'est un VRAI corps !

« Le bonheur, c'est des petits moments ; l'âge, la maturité et l'expérience de vie nous permettent de les capter plus facilement. »

Joey
Scarpellino

« Le bien-être, c'est
de faire en sorte qu'on
ait tous les éléments pour
être bien et ça n'a pas
besoin d'être des
éléments extravagants...
juste les bons ! »

Joey s'est surtout fait connaître du
public grâce à son rôle du grand frère
Thomas dans l'émission *Les Parent*,
diffusée à Radio-Canada. Il a aussi
participé à d'autres projets télévisuels,
tels que *Lance et compte – La Finale*,
Il était une fois dans le trouble et
Le gentleman. Au cinéma, on a pu
le voir dans *Projet A* et *Les grands*,
deux courts-métrages. Il a également
été récipiendaire du prix Personnalité
de l'année au gala KARV l'anti-gala en
2011, 2012 et 2013.

« La beauté, c'est être à l'aise avec la personne qu'on est – autant physique qu'intellectuelle. »

Résumé d'une belle rencontre avec un jeune homme lucide, sympathique et dont le parcours est très intéressant.

Joey a déjà souffert d'anorexie. Tout semble avoir basculé l'été de ses 10 ans. Grassouillet et très mal à l'aise dans son corps, il me confie que son inconfort était alors si intense qu'il ne voulait même pas donner de câlins à son amoureuse de l'époque. De tempérament anxieux et perfectionniste, il décide de perdre du poids. Le résultat ? Il n'a pratiquement rien mangé de l'été. Par la suite, il a mis de côté la restriction alimentaire extrême pour manger « ultra santé », ce qui est devenu une réelle obsession. D'ailleurs, Joey admet qu'il ne s'est permis aucune gâterie de l'âge de 10 à 16 ans.

Parallèlement à cela, il s'investit à fond dans l'entraînement physique, et ce, pendant un certain temps, jusqu'à deux fois par jour. Constamment en quête d'une meilleure forme physique, il consulte de multiples nutritionnistes et entraîneurs. Il va sans dire que cette période fut intense et difficile personnellement, mais aussi publiquement. Soucieux de ne pas montrer ses difficultés au grand jour, on l'habille afin de camoufler sa trop imposante masse musculaire sur le plateau de tournage de l'émission *Les Parent*.

Heureusement, Joey a fini par réaliser que même les athlètes « trichent » de temps à autre. Il se met donc à s'accorder, lui aussi, certains écarts. Dans les premiers temps, il se donnait le droit de « tricher » une fois par mois, pour ensuite réussir à le faire plus fréquemment.

Joey n'est pas allé chercher de l'aide et n'a jamais reçu de traitement pour son trouble de l'alimentation. Intriguée, je le questionne à ce sujet... Il admet alors être un peu têtu sur cet aspect et tenir désespérément à comprendre les choses par lui-même.

Avec le temps et depuis ses difficultés avec la gestion de son alimentation et l'exercice, Joey s'est progressivement assoupli. Bien qu'il conserve certains interdits, il ne suit plus de plan alimentaire et se permet des plaisirs. Il reconnaît être encore habité par la petite voix du contrôle, mais cette dernière est beaucoup moins forte et présente qu'auparavant.

En le questionnant sur la pression culturelle, je réalise que Joey en a beaucoup à dire sur le sujet... Dans son cas, cette pression n'a fait qu'amplifier ses propres préoccupations de l'époque. Il se remémore d'ailleurs un temps où il ne pouvait sortir de chez lui sans avoir l'air parfait. Identifié comme le « beau gars », il ne sentait pas qu'il pouvait offrir moins au public qui l'admirait. Pour Joey, il est évident qu'attention a été synonyme de pression.

Paradoxalement, être beau et musclé n'a pas toujours joué en sa faveur. Joey soutient que, au Québec, il n'est pas bien vu d'être aussi musclé et qu'il s'est même déjà fait refuser des rôles à cause de cela. Je trouve son constat intéressant et juste... Il existe effectivement un stigmate important envers les personnes trop « athlétiques » ou trop « belles ».

La situation particulière vécue par Joey l'a amené, je crois, à faire des réflexions intéressantes quant à l'image corporelle. Il m'explique, par exemple, que selon lui nous avons pris un tournant excessif en voulant faire la promotion de la diversité corporelle à tout prix. D'une part, il comprend l'exaspération à l'endroit de l'extrême minceur et des corps parfaits, mais, d'autre part, il dénonce l'absurdité de glorifier les personnes avec un surplus de poids et qui ne sont pas en santé. À son avis, la santé devrait être le but à atteindre, et ce, sans compromis.

Malheureusement, selon lui, la santé n'est pas reconnue comme quelque chose qui s'enseigne. Il déplore le système scolaire actuel qui, à ses yeux, n'apprend pas grand-chose de la vie à nos jeunes. « Les jeunes se perdent parce qu'ils doivent entrer dans un moule comme des robots. » « L'école ne t'apprend pas comment manger, comment être en santé, comment faire ton budget ou comment organiser ta vie d'adulte. » Selon lui, l'art d'être en santé et de le rester devrait être la première chose que l'on apprend à l'école. Très intéressant comme point de vue... Merci Joey !

« Il faut trouver
ce qu'on a besoin pour
être heureux dans la vie.
Et que ce soit le plus
simple possible. »

145

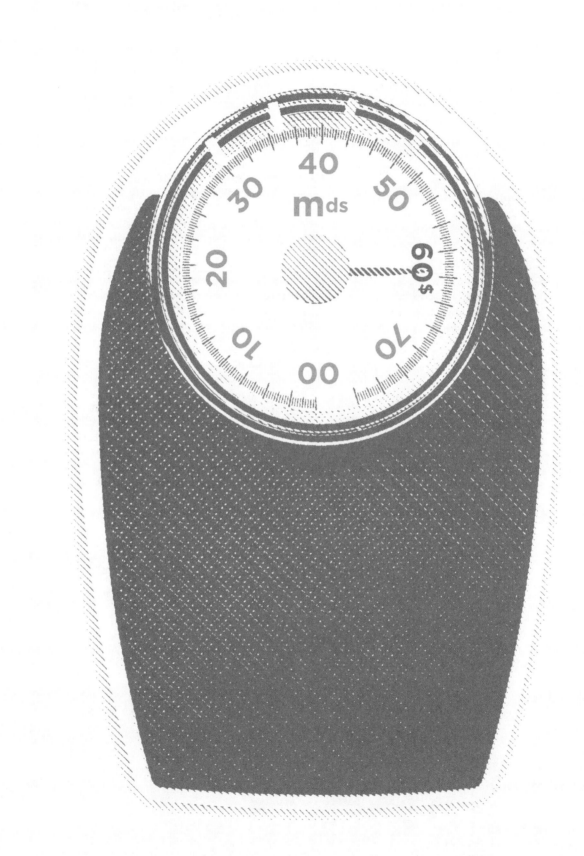

L'industrie de
l'amaigrissement
génère 60 milliards
de dollars
par année
aux États-Unis.

Institut national
de la santé publique
du Québec, 2012.

Stéphane
Quintal

« La beauté passe
par le sourire,
les yeux et le fait
d'être naturel. »

Repêché par les Bruins de Boston,
c'est en 1987 que Stéphane entame
sa carrière dans la Ligue nationale
de hockey. Par la suite, il jouera avec
les Blues de St-Louis, les Jets de
Winnipeg, les Rangers de New York,
les Blackhawks de Chicago et les
Canadiens de Montréal, pour finalement
prendre sa retraite du hockey en 2005.
Il détient maintenant le prestigieux
poste de vice-président à la sécurité
des joueurs de la Ligue nationale
de hockey.

« Le bien-être
c'est prendre soin de soi
pour se sentir bien. »

Stéphane fait partie de ces personnes intrigantes et difficiles à percer. Il n'est pas uniquement imposant physiquement, mais il impressionne aussi par son regard songeur et réservé. Il est d'un calme olympien et se livre au jeu de notre entrevue avec beaucoup d'authenticité.

Stéphane représente, aux yeux de plusieurs, un idéal de forme physique. Il a commencé à se préoccuper de son alimentation en prenant conscience que, en tant qu'athlète, ce qu'il mettait dans son corps venait à avoir une incidence capitale dans ses performances. Il me confie qu'il est soucieux de son alimentation parce qu'il a toujours été difficile pour lui de conserver son poids. Il se doit donc de jongler entre son amour de la bonne bouffe et des bons vins et son souci de contrôler son poids et son apparence. Stéphane n'accepte pas de prendre du poids et ajoute avec un sourire qu'il aime bien ne pas avoir l'air de son âge ! L'apparence, sans que ce soit de façon excessive, est primordiale pour lui.

Je le questionne sur ses habitudes alimentaires... Il débute en m'expliquant qu'il mange habituellement cinq fois par jour, car si ses prises alimentaires sont trop espacées, il devient irritable. Stéphane mange bio le plus possible; il se procure d'ailleurs plusieurs de ses aliments en visitant régulièrement une ferme biologique dans les Laurentides.

Sans toutefois adhérer à des comportements draconiens, Stéphane admet qu'il a déjà entrepris un régime amaigrissant à base de protéines. De la même manière, s'il réalise avoir pris cinq livres, il élimine les féculents de son alimentation pour deux ou trois semaines.

L'activité physique a évidemment toujours eu une place importante dans la vie de Stéphane. Il reste très investi dans l'exercice physique en faisant du « spinning » et du yoga chaud. Au-delà des bénéfices physiques que lui procure l'activité physique, il affirme que l'exercice lui permet aussi de ne pas se laisser aller à voir parfois la vie plus négativement, ce qu'il peut avoir naturellement tendance à faire.

Pour lui, bien-être rime avec équilibre, sérénité et le fait de prendre soin de soi. Je réalise toutefois que sa notion d'équilibre est rigoureuse… Stéphane s'alimente bien, s'entraîne régulièrement et s'adonne très peu à des excès ou des laisser-aller.

Stéphane étant papa de deux jeunes enfants, je le questionne sur ce qui, à son avis, représente le principal défi des jeunes d'aujourd'hui à propos de tout ce qui touche l'image corporelle. Il m'explique que plutôt que de vouloir aller jouer dehors (comme c'était le cas pour les enfants de sa génération), les enfants d'aujourd'hui veulent généralement s'adonner aux jeux vidéo. Selon lui, le rôle des parents est de contourner ce défi en s'impliquant dans des activités physiques avec leurs enfants. Ainsi, nous rendons ce moment agréable et axé sur le plaisir tout en donnant le « bon » exemple. Stéphane ne demeure donc pas une grande inspiration seulement pour les adeptes de hockey, mais aussi pour tous ceux qui ont envie de faire une place importante à l'activité physique !

« Pour moi, le bonheur est lorsqu'il y a un équilibre entre ma vie professionnelle, ma vie de famille et ma vie amoureuse. »

Catherine Brunet

Catherine nous a éblouis dès son jeune âge grâce à son interprétation de la petite Charlotte dans *Le monde de Charlotte*. Par la suite, elle a laissé sa marque dans plusieurs émissions pour enfants. Avec une solide formation en diction et en doublage, elle s'illustre dans le milieu de la voix. Elle a été formatrice d'ateliers de doublage pour enfants au Conservatoire de Montréal et prête maintenant sa voix et son expertise au Studio Syllabes, toujours pour les enfants. Catherine a fait partie de la distribution de *Légitime Dépense* à Télé-Québec, de l'émission *Alors on jase !*, diffusée à Radio-Canada, ainsi que de la websérie de Télé-Québec *Juliette en direct*. Au théâtre, en 2012, nous avons pu la voir à l'Espace Berri dans la pièce *Grand-peur et misère du IIIe Reich* mise en scène par René Migliaccio. Elle a été ambassadrice de l'UNICEF pendant huit ans et est porte-parole d'ANEB Québec depuis 2011. Catherine joue présentement dans l'émission pour jeunes *Le chalet* à Vrak et sera de la distribution de la série dramatique *Marche à l'ombre*, diffusée sur Super Écran.

« Pour moi, bien-être veut dire "équilibre". J'essaie, dans ma vie à moi, de garder un équilibre dans mes agissements et dans mes choix. »

Du haut de ses 25 ans, Catherine surprend par sa grande authenticité. Lumineuse, souriante et aussi très réfléchie, Catherine n'hésite pas à partager avec moi ses expériences et ses opinions.

Catherine entretient une relation saine avec son corps et son alimentation. Elle aime manger et, surtout, adore goûter et découvrir. Elle écoute son corps et ses envies et, bien qu'elle ne soit pas une fille de routine, elle ne résiste jamais à sa faim et ne se prive de rien. N'étant pas une adepte de l'entraînement physique, elle joue plutôt au hockey, fait du yoga chaud et de la planche à neige. Mais cela n'a pas toujours été le cas...

Grâce à son rôle dans *Le monde de Charlotte*, Catherine a vécu son adolescence sous le regard des autres, ce qui n'a pas été facile pour elle. Dans le monde de la télé, on lui a dit qu'elle avait un surplus de poids et que, parce qu'elle était comédienne, elle devait « faire attention ». Parallèlement à cela, lorsqu'elle était au secondaire, elle se faisait traiter de « petite grosse » par ses amis garçons. Cela a fait en sorte que sa perception d'elle-même est devenue plus négative. Elle s'est alors mise à se regarder dans le miroir et à se trouver grosse à son tour. Son rapport à l'alimentation s'est également complexifié... Elle s'est mise à être plus désorganisée dans son alimentation, à sauter des repas et même à faire son premier régime à l'âge de 15 ans.

Ce qui l'a sauvée ? Malgré la pression, Catherine est restée elle-même et s'est littéralement foutue des gens. Elle me confie que c'est son côté rebelle qui l'a aidée. Elle s'est mise à s'habiller de manière originale et à porter des cravates ! Elle a alors réussi à décrocher de l'image et a cessé de se comparer.

Je sens que Catherine a fait une réelle réflexion à propos des enjeux liés à l'apparence, à la beauté et au contrôle du corps. D'ailleurs, elle trouve dommage que la pression culturelle soit si forte et écrasante pour les jeunes. Elle soutient que nous vivons dans une société de surconsommation de l'image. On ressent la pression de ressembler à un certain modèle de beauté et on s'y soumet sans se poser de questions. « Les filles veulent être minces, les garçons veulent être musclés, et on ne sait même plus pourquoi ! »

Catherine considère toutefois qu'au Québec nous avançons comparativement à d'autres endroits dans le monde. Elle me parle, par exemple, des actrices d'*Unité 9* que l'on peut voir sans maquillage et qui sont magnifiques. De la même manière, nous avons adopté la Charte québécoise pour une image corporelle diversifiée qui dénote une volonté de se libérer des diktats de beauté irréalistes. Elle n'a donc pas l'impression que c'est une cause perdue.

« La beauté, pour moi, c'est la diversité – que ce soit dans les personnes, les endroits, les couleurs, les vêtements. »

« Le bonheur, pour moi,
c'est les gens. Autant, des fois,
je peux être fâchée contre
les gens... En fin de compte,
ce qui fait mon bonheur, c'est
les gens que j'aime. »

Un combat qui n'est cependant pas gagné est celui de notre obsession du vieillissement du corps. Catherine me confie qu'elle aimerait vieillir dans une société où les femmes de 50 ans n'auraient pas l'air d'en avoir 30. Elle est contre les interventions esthétiques qui visent à contrer le vieillissement. Elle me dit d'ailleurs avec humour : « Si tu vivais dans une grotte, penserais-tu à faire ce genre de chose-là ? »

Lorsque je la questionne sur son implication comme porte-parole de l'organisme ANEB Québec qui vient en aide aux personnes qui souffrent de troubles de l'alimentation, Catherine m'explique ce qui l'a poussée à s'engager. Selon elle, il y a un grand besoin de pouvoir parler des problèmes d'image corporelle, de la pression ressentie de correspondre à un certain modèle et du mal-être qui en découle.

L'important, selon Catherine, est de se poser la question suivante : « Comment je peux être bien et qu'est-ce que je peux faire ? » Il faut respecter qui l'on est et s'y accrocher envers et contre tous. Je suis sincèrement épatée par tant de maturité et d'authenticité. Quelle fille inspirante !

Pierre-Alexandre Fortin

« Pour moi, le bien-être équivaut au bonheur. Quand on est bien, on est heureux. »

Depuis sa sortie de l'école de théâtre de Saint-Hyacinthe en 2000, Pierre-Alexandre Fortin a eu plusieurs rôles dont celui d'Alex Trépanier dans *L'auberge du chien noir*. On a pu le voir dans les séries *Aveux*, *Les rescapés* et tout récemment dans *30 vies*. En 2012, Pierre-Alexandre fait ses premières armes en animation, aux côtés de Vincent Graton, dans *Ma caravane au Québec*, puis dans *Comment rénover... sans trop se chicaner !* avec sa conjointe Saskia Thuot. Au théâtre, on a pu le voir, entre autres, dans des pièces de *La comédie humaine* et, de 2004 à 2009, dans *La folle odyssée de Jacques Cartier*. Il interprète, depuis 2010, Richard le remorqueur dans les publicités de Toyota.

Dès le début de notre entretien, je sens Pierre-Alexandre très honnête dans ses propos. Tout d'abord, il m'explique que l'alimentation est un aspect important de sa vie puisqu'il est soucieux de son apparence et de son poids. Parallèlement à cela, il reconnaît manger par nécessité. S'il n'avait qu'à manger une fois par jour, ce serait parfait... S'il existait une pilule capable de subvenir à tous ses besoins nutritionnels sans qu'il ait à manger, ce serait encore mieux ! J'avoue, je suis bon public et je ris. Mais est-il sérieux ? Il précise ses propos en déclarant qu'effectivement il mange souvent et uniquement dans le but de ne pas avoir faim. En même temps, il affirme qu'il faut que ce soit bon. Pas trop élevé en glucides, mais bon, me dit-il le sourire aux lèvres !

La gestion de son alimentation a néanmoins beaucoup changé dans les dernières années. Auparavant, il avait l'habitude de manger trop fréquemment au restaurant et il planifiait très rarement son alimentation. Depuis que Pierre-Alexandre est l'heureux papa de Laurence, dix ans, et Simone, sept ans, une routine a été mise en place et il y adhère aussi. Ce qu'il considère comme le plus ardu n'est pas le fait de suivre cette routine, mais plutôt de continuellement devoir trouver des idées de repas. N'y a-t-il pas une application iPhone pour ça ?

L'importance que Pierre-Alexandre accorde à l'alimentation a aussi évolué. Il semble que, plus jeune, il n'ait pas eu à s'en préoccuper. Au tournant de la trentaine (il a maintenant 42 ans), il a toutefois vu son poids augmenter. Afin d'y remédier, il a modifié son alimentation de façon draconienne, soit en éliminant les glucides, en évitant les féculents et en optant pour les protéines, les légumes et les petits fruits. Il m'explique qu'il tâche de faire attention, à l'exception d'une journée par semaine, le samedi, où tout est permis. Je sais qu'il perçoit mon scepticisme...

Sans avoir jamais fait de régime alimentaire officiel, Pierre-Alexandre a déjà été très restrictif pour un court laps de temps, chose qu'il ne fait plus maintenant. Il n'est plus un adepte des produits allégés. Il ne pèse, ne calcule ni ne mesure ses aliments. Et finalement, il ne se forcera jamais à manger quelque chose de mauvais, et ce, indépendamment de la vertu de l'aliment en question.

Quels aspects lui reste-t-il à travailler ? Tout d'abord, il me confie qu'il doit modifier sa façon de communiquer aux autres son opinion sur la question de l'alimentation. Auparavant, il démonisait le pain et défendait avec un peu trop d'intensité ses choix alimentaires. Il semble à présent beaucoup plus calme et en harmonie avec cet aspect de sa vie. Il soulève également le fait qu'il lui arrive, lors de LA journée plus permissive de sa semaine, de faire des excès de chocolat ou d'autres aliments qu'il évite habituellement. Je le fixe et espère qu'il réalise que ses propos confirment la fameuse *théorie de la restriction*, soit que la privation mène inévitablement aux excès. Il sourcille et concède ensuite que sa manière de s'alimenter n'est pas parfaite et qu'elle ne serait pas idéale pour tout le monde.

Notre discussion bifurque alors sur l'image corporelle. Pierre-Alexandre se sent actuellement très à l'aise avec sa silhouette. Il a toujours été très sportif et a le souci d'être en forme. Il aime foncièrement le sport et surtout l'effet que ce dernier lui procure. Il joue au hockey deux fois par semaine et fait du jogging régulièrement. Il reconnaît qu'il a la chance d'avoir un horaire non traditionnel qui lui permet de rester assidu en ce qui concerne cet aspect de sa vie.

Il s'assume totalement dans son souci pour son apparence. Selon lui, une belle silhouette d'homme est musclée, solide, costaude. Anecdote cocasse... Qu'a répondu le petit Pierre-Alexandre à son professeur de troisième année à la question habituelle : « Qu'aimerais-tu faire plus tard ? » « Être un haltérophile, monsieur ! » Plus sérieusement, tout comme dans l'alimentation, il vise maintenant un équilibre en ce qui a trait à l'importance de son image corporelle.

Pierre-Alexandre se sent peu affecté et concerné par la pression culturelle d'avoir une silhouette conforme aux stéréotypes sociaux. Toutefois, il admet qu'il est bien heureux de ne pas être une femme ! Selon lui, les garçons et les filles ne sont pas touchés par la pression culturelle de la même façon. Il croit qu'à la base, le problème en est un de nature féminine. Il poursuit en m'expliquant que les filles sont trop sévères envers elles-mêmes. Nous discutons des critères de beauté féminins et c'est à ce moment qu'il en profite pour me faire l'éloge des attributs physiques de son amoureuse, l'animatrice Saskia Thuot...

Nous amorçons la fin de notre entretien sur une note plus sérieuse. En tant que papa, il se sent particulièrement concerné par l'avenir de nos jeunes. Il m'avoue entretenir une vision plutôt pessimiste à l'égard de la pression culturelle à laquelle nos enfants auront à faire face. Selon lui, les stratégies de marketing actuelles propulsées par les médias sociaux rendent l'exposition aux stéréotypes irréalistes exponentielle et continue. Il nous reste donc à mieux équiper nos enfants pour qu'ils puissent se forger une saine estime de soi corporelle basée sur d'autres valeurs.

Finalement, Pierre-Alexandre revendique plus de transparence de la part des personnes connues lorsque ces dernières abordent le sujet de l'image corporelle. En guise d'exemple, il doit être pas mal plus facile de se soucier de son apparence quand une gardienne s'occupe des enfants ; un cuisinier, des repas et un entraîneur, de l'activité physique. Ce qui ne représente assurément pas le mode de vie de beaucoup de gens. Et il en rajoute : si les artistes acceptaient des projets photo sans retouches ni Photoshop ? C'est décidé, je l'engage !

« La beauté, pour moi, c'est très relié aux femmes. J'aime beaucoup les femmes, je les trouve belles. »

**85 à 95%
des personnes
qui perdent du poids
à la suite d'un
régime amaigrissant
reprennent le poids perdu
et même plus
dans les cinq ans
qui suivent.**

Institut national
de la santé publique
du Québec, 2008.

Isabelle Lemme

« Pour moi, le bonheur, c'est simple : mes enfants, mes amis, la bonté et le partage. »

Isabelle est une comédienne au grand talent et à la voix chaleureuse. Depuis qu'elle a obtenu son diplôme du Conservatoire d'art dramatique de Montréal, on a pu la voir s'illustrer à la télévision, au cinéma ainsi qu'au théâtre. Depuis 13 ans, elle incarne Mathilde Cadieux dans le téléroman *L'auberge du chien noir*. Également chanteuse à ses heures, on a pu apprécier sa voix dans de nombreuses productions musicales comme *Les parapluies de Cherbourg*, *La mélodie du bonheur*, *Les immortels* au cinéma et sur le CD pour enfants *Étoile, cacahuète et ritournelles*.

Lors de ma rencontre avec Isabelle, je découvre une fille très sympathique et accessible. À mon grand bonheur, elle me donne rendez-vous dans un café de la Petite Italie. D'origine italienne, Isabelle possède ce magnifique côté bon vivant qui fait qu'elle parle de son alimentation avec ferveur et plaisir.

L'alimentation occupe pour elle une grande place. Elle se qualifie de gourmande et l'assume totalement. Ses habitudes alimentaires (et celles de son amoureux Stefano Faita) sont empreintes des valeurs italiennes authentiques, où bien manger est un plaisir qui se traduit par l'expérience d'aliments savoureux, et ce, au quotidien.

L'adolescence, comme pour bien des jeunes filles, a été une période plus difficile pour elle, où s'habituer à un corps qui change, qui s'arrondit, crée bien des complexes. Dans la vingtaine également, à la fin de l'école de théâtre, l'image prenait plus de place... Elle a tenté de s'entraîner assidûment, sans plaisir, de changer son alimentation, de restreindre ses portions, toujours sans succès. En se remémorant cette période, elle me confie ne pas s'être sentie bien d'employer des méthodes aussi draconiennes. D'ailleurs, elle me dit que son poids semble s'être stabilisé (à la baisse dans son cas) lorsqu'elle a cessé de s'en préoccuper !

Elle préconise maintenant de bonnes habitudes alimentaires, mais sans avoir recours à la restriction. Elle est soucieuse de ce qu'elle mange, mais m'affirme qu'il faut toujours que ce soit savoureux! Elle n'évite aucun aliment, n'est pas une adepte de produits allégés, grignote des collations et ne se pèse pas souvent. Le plaisir de manger étant primordial, elle prend régulièrement le temps de bien manger en s'offrant de délicats sushis ou un succulent tartare de saumon. Tout en valorisant une alimentation saine, elle démontre un désir tangible de maintenir un certain équilibre. Par exemple, il y a des biscuits LU ainsi que de la crème glacée chez elle, et elle n'hésitera pas à manger une bonne poutine à onze heures du soir à l'occasion ! Je ne peux m'empêcher de penser qu'elle représente un vraiment beau modèle d'habitudes alimentaires saines pour ses filles âgées de trois et six ans.

Pour ce qui est de l'exercice physique, l'équilibre semble également être de mise. Isabelle ne s'entraîne pas systématiquement, mais choisit plutôt d'aller travailler en vélo, à pied, ou en transport en commun. Depuis deux ans, elle a un

« Si l'on n'est pas bien, on peut difficilement se trouver beau et trouver la beauté ailleurs. »

vrai coup de cœur pour les pilates, activité qu'elle pratique de façon régulière par envie et non par obligation de bouger. Sinon, elle préfère aller jouer au parc avec ses filles au lieu de s'enfermer dans un gym !

Quant à son image corporelle, si importante dans le domaine culturel dans lequel elle évolue, elle me dit ne s'être jamais aussi bien sentie. Encore une fois, elle attribue cela au fait qu'elle se préoccupe beaucoup moins qu'auparavant de son apparence. Elle me révèle avec franchise que, comme bien des femmes, il lui arrive de vivre des périodes où elle ne se trouve pas assez mince. L'idée de se restreindre peut alors lui effleurer l'esprit, mais elle réalise rapidement qu'elle n'est plus prête à s'imposer une restriction alimentaire et ne pas répondre à sa faim.

Lorsque nous abordons l'image corporelle véhiculée par les médias, Isabelle souligne un point intéressant : l'image qu'on nous envoie de la fille ronde, que ce soit dans les publicités ou les émissions de télévision. La fille ronde n'a jamais la même vie qu'une autre. On nous la présente habituellement dans des situations cocasses ou loufoques. Selon Isabelle, c'est cette image qu'il faut changer en allant au-delà du surplus de poids et en cessant de contribuer aux stéréotypes rattachés aux personnes plus rondes. J'ajouterais même cette question : ce que nous qualifions de « surplus de poids » est-il réellement un surplus ou plutôt uniquement une divergence du modèle irréaliste véhiculé actuellement par notre société ? À mon avis, la fille catégorisée « ronde » n'est en fait qu'une femme se situant sur le continuum de toutes les silhouettes réalistes possibles.

Parallèlement à cela, étant une maman, Isabelle se dit préoccupée par le défi auquel font face les jeunes filles d'aujourd'hui. À ses yeux, les jeunes filles se ressemblent beaucoup et désirent pratiquement toutes la même chose. Dans un contexte comme celui-ci, la minceur devient une façon de se démarquer. Il faudrait donc nuancer cette propension en mettant l'accent sur la personnalité plutôt que sur le *look*. Cela mène Isabelle à me parler d'un autre élément important à ses yeux, qui est le rôle des adultes qui entourent ces jeunes filles. Il s'avère primordial que ces adultes (parents, éducateurs, etc.) favorisent des discussions portant sur l'image corporelle véhiculée par les médias, les sentiments à l'endroit de sa propre image corporelle et finalement l'importance relative de l'apparence dans le contexte d'une saine estime de soi.

« Le bien-être, c'est essayer d'être fidèle à soi-même. »

Sylvie
Moreau

« La beauté, pour moi, c'est la vie. Et plus on reflète qui l'on est, plus on reflète la vie. »

Si le grand public a adopté Sylvie Moreau grâce à sa présence régulière au petit écran, notamment dans *LOL :-)*, *Ram Dam*, *Annie et ses hommes*, *Catherine* et *Dans une galaxie près de chez vous*, elle se démarque tout autant sur scène. Au théâtre comme au cinéma, on a pu la voir dans plusieurs productions. Son interprétation dans le film *Post Mortem* lui a valu le Génie de la meilleure actrice en 2000. Elle a aussi remporté des prix Gémeaux pour l'écriture collective de la dramatique *États humains* et pour son interprétation de Catherine dans la série télévisée éponyme. Enfin, elle est une joueuse étoile à la LNI et a animé à plusieurs reprises la Soirée des Jutra.

Rencontre sympathique et fort intéressante avec la comédienne Sylvie Moreau. D'emblée, elle me révèle que la gestion de son alimentation est compliquée et cela m'intrigue...

La relation qu'entretient Sylvie avec son alimentation est étroitement liée à son système digestif. Dès l'adolescence, elle constate un lien entre sa propension à être nerveuse et angoissée et ses troubles de digestion. Elle souffrait à l'époque d'aérophagie et avait à subir de fréquents lavements barytés. Ses difficultés se sont estompées dans la jeune vingtaine. Elle a également réalisé qu'elle avait tendance à manger plus qu'à sa faim, ce qu'elle ne fait plus. Elle déclare ressentir de réels bienfaits à ne plus outrepasser ses signaux de satiété.

Mis à part ces difficultés, Sylvie constate que sa relation avec l'alimentation est bonne. Elle aime cuisiner et se dit gourmande. Elle n'a pas de comportements rigides ou restrictifs. En effet, elle ne compte pas les calories, ne consomme pas de produits allégés et est une adepte des collations. Manger sainement n'est pas non plus une obsession pour elle. Elle ne mange pas strictement bio et s'offre régulièrement des gâteries. Elle note toutefois une évolution dans le type de gâteries qui l'interpelle. Auparavant, elle se tournait vers le *junk food*, tandis qu'à présent elle se gâte avec des calmars et du bon féta !

Elle me révèle avoir déjà suivi la méthode Montignac, mais non de façon assidue. Elle choisit maintenant d'écouter sa faim et ses goûts. Son authenticité m'impressionne lorsqu'elle me confie que, lors d'un tournage, elle peut s'interdire certains aliments pour éviter que son ventre soit ballonné. Je me doute que plusieurs comédiennes ont ce souci et font la même chose, et j'apprécie vraiment la transparence et l'honnêteté de Sylvie. Elle ajoute d'ailleurs que si elle ne faisait pas ce métier, elle ne penserait pas à ce genre de chose. N'est-il pas rassurant de savoir que les ventres plats de la télévision et du cinéma ne reflètent pas la réalité de tous les jours ?

Je suis très intéressée par sa vision d'une relation saine avec l'alimentation. Le critère principal, pour Sylvie, est d'être à l'écoute de ses sensations physiques, car elles restent les meilleures indicatrices de nos besoins. Elle soutient même que c'est son corps qui lui a enseigné comment manger. De plus, selon elle, notre alimentation est étroitement liée à notre nature profonde. Sylvie est de nature positive. Elle n'aime pas la contrainte et a un grand besoin de liberté. C'est ce qui fait, selon elle, qu'elle n'est pas une adepte de régimes amaigrissants et qu'elle n'a pas la propension à vouloir contrôler son alimentation. Elle met alors le doigt sur un aspect que je considère comme primordial... La relation que nous entretenons avec l'alimentation n'est pas étrangère à notre façon de gérer les autres sphères de notre vie.

Notre discussion touche alors l'image corporelle. Étant dotée d'un physique athlétique, Sylvie me dit que le personnage de Catherine, qu'elle a incarné à la télévision de 1998 à 2005, lui a fait découvrir la féminité et le *sex appeal*. Elle a alors reçu de nombreux commentaires positifs concernant son image corporelle. Commentaires qu'elle a d'ailleurs mis longtemps à accepter...

Par rapport à son corps, Sylvie mentionne se sentir relativement bien. Elle apprécie surtout grandement son état de santé et son sentiment de vitalité. Elle a toujours fait beaucoup de sports, tels l'athlétisme de compétition, le basketball et le mime corporel. Elle pratique maintenant le gyrotonic et la gyrokinésie (combinaison de yoga et de pilates). La pratique de ces activités est liée pour elle à un profond plaisir et besoin de s'activer. Elle admet que par moments elle se juge sévèrement et se compare avec les autres. Je constate que ce comportement l'irrite, mais qu'elle n'y accorde pas trop d'importance.

« Le bien-être,
pour moi, est
beaucoup lié
à tous les sens en
éveil et prêts à
se réveiller. »

La peur de vieillir l'a beaucoup habitée au début de la quarantaine, mais aujourd'hui, à l'âge de 50 ans, elle a vraiment l'impression d'avoir fait la paix avec les transformations corporelles liées au vieillissement. Ce qui la préoccupe davantage est le fait de rester en santé. Sylvie admet d'ailleurs avoir très peur de la mort.

De quelle façon gère-t-elle la pression culturelle ? Sylvie n'est pas une lectrice de magazines. Elle ne croit pas à l'image qui nous est proposée et se montre sceptique par rapport aux critères de beauté véhiculés. Personnellement, elle me confie candidement avoir déjà reçu des commentaires peu élogieux sur sa dentition. À l'égard de ce genre de commentaire intrusif et irrespectueux, elle maintient ses limites et choisit de rester authentique et fidèle à elle-même.

Je l'interroge sur ses suggestions dans le but de contribuer à une image corporelle plus saine. Dans un premier temps, elle revendique plus d'honnêteté dans la représentation de ce qu'est la santé et un discours plus transparent en ce qui concerne les régimes amaigrissants. Ces derniers sont, selon elle, magnifiés par trop de gens. Elle note positivement que, dans le milieu du cinéma et de la télévision, la pression est moins grande au Québec qu'ailleurs. Toutefois, il reste encore beaucoup de chemin à faire afin que les gens puissent s'identifier à une image corporelle plus réaliste.

Nous terminons l'entrevue en pensant aux jeunes filles d'aujourd'hui. Selon Sylvie, il faut investir la personne et non l'image. Favoriser la découverte de soi et encourager l'acceptation de ses particularités, et ce, indépendamment des standards de beauté promus. S'éloigner du modèle de beauté unique et s'ouvrir à une diversité des corps.

Je quitte le petit café où nous nous sommes rencontrées empreinte d'un sentiment de calme. Je constate à quel point Sylvie a été authentique dans ses propos. Une rencontre vraiment enrichissante !

« Le bonheur, c'est la vie et l'harmonie avec les autres. »

Sébastien Benoit

Personnalité incontournable du *show-business*, Sébastien a porté le chapeau d'animateur, d'interviewer, de reporter et de chroniqueur On a qu'à penser à *Flash*, *La Fureur*, *Pyramide* et tant d'autres ! Amateur de sport, Sébastien a animé en 2011 une émission hebdomadaire, *Droit au but*, sur les ondes de Radio-Canada, une émission hybride alliant sport et variétés. Il a également été aux commandes de la quotidienne *Connivence*. Dès l'automne 2012, il devient l'animateur d'*Occupation Double* en Californie qu'il reprend en 2013, mais cette fois-ci en Espagne, tout en continuant ses activités radio à distance. Enfin en 2014, il allie encore une fois deux de ses passions en se voyant confier l'animation d'une nouvelle quotidienne de sports en direct, *Le Fanatik*. Parallèlement à sa carrière en télévision, on a pu l'entendre sur les ondes de CKOI avant qu'il ne fasse le saut en 2004 au 105,7 Rythme FM. C'est en 2014, qu'il revient à l'animation, mais cette fois-ci aux côtés de Mitsou Gélinas, à *Mitsou & Sébastien*, émission quotidienne de la famille Rythme FM 105,7.

« Le bien-être peut être plusieurs choses... Une soirée avec mon amoureuse, une bonne table, du bon vin avec des amis ou la façon dont je me sens lorsque je cours dehors. »

« La beauté, c'est vieillir en beauté ! »

Lors de ma rencontre avec Sébastien, j'ai eu l'occasion de partager un très bon repas, de parler avec lui d'alimentation, mais surtout de rire !

D'emblée, Sébastien déclare que tout ce qui touche l'alimentation est pour lui synonyme de plaisir et de fête, et ce, depuis longtemps. Sa mère cuisine très bien et a toujours fait de bons plats et de savoureux desserts. Il me précise que, lors des repas, toute la famille cessait ses activités. Pas de télévision ou d'autres distractions. Dès le début de notre entretien, je pressens donc un bel équilibre alimentaire, fondé sur des habitudes de vie bien ancrées.

Petite pause… Nous regardons le menu du restaurant et faisons nos choix. Sébastien hésite beaucoup ; cela m'étonne et il m'explique. Son premier choix est le macaroni au fromage, mais étant donné sa consommation de féculents le jour précédent et le fait que ce plat contient peu de protéines, il opte pour la blanquette de veau. Intriguée, je lui reflète le fait qu'il n'a pas choisi ce qu'il désirait réellement et je veux comprendre… Il sourit et prend quelques croûtons de pain frais. Dans les minutes qui suivent, j'ai beaucoup de plaisir à démêler la « gestion » de son alimentation.

Sébastien m'avoue essayer de bien doser son alimentation. Il ne calcule pas les calories, prend trois repas et trois collations par jour et n'est pas un adepte de produits allégés. Il évite le *fast food* et adore le chocolat noir. Il se soucie de la provenance des aliments et privilégie les aliments biologiques.

De façon générale, il se dit préoccupé par le fait d'avoir une alimentation saine. Il est à la recherche d'un équilibre qui lui permette de manger de tout en faisant plutôt attention aux portions. En d'autres mots, je comprends que Sébastien fait surtout des compromis en ce qui concerne la quantité et non la variété.

Sébastien n'est pas un adepte des régimes amaigrissants. Il y a quatre ans, dans le cadre d'un défi avec des amis, il a sévèrement restreint son alimentation pour une durée d'un mois. Cette expérience semble l'avoir convaincu de ne pas récidiver !

Quant à sa relation avec son image corporelle, Sébastien me confie s'accepter comme il est. Plus jeune, il se faisait taquiner parce qu'il est petit; et il me confie aussi que sa grandeur reste son seul complexe. Il a commencé à s'entraîner il y a quelques années, dans le but de prendre de la masse musculaire – pour avoir l'air « plus homme ». À ce jour, il s'entraîne toujours beaucoup (six ou sept fois par semaine) afin de conserver ses acquis. Cette intensité d'exercice physique lui permet non seulement de manger ce qu'il veut, mais surtout de se sentir bien dans son corps et dans sa tête.

Je le questionne à savoir si, dû à la nature de son travail, il ressent la pression culturelle de correspondre à un certain modèle masculin. Sébastien considère ses préoccupations liées à l'image corporelle comme étant indépendantes de son travail. Il perçoit plutôt cet aspect comme étant « lui par rapport à lui ». De la même manière, il aime les filles en forme et qui prennent soin d'elles. Il est important pour lui que son amoureuse partage sa passion de l'exercice physique, ce qui est le cas !

Chanceux parce qu'il paraît beaucoup plus jeune que ses 42 ans, Sébastien ne semble pas être habité par la peur de vieillir. La seule intervention à laquelle il a eu recours est une greffe de cheveux en 2008.

Quels sont ses défis et les aspects qu'il pourrait améliorer quant à sa relation avec l'alimentation et le corps ? Il est important pour lui d'être attentif à ses portions et de choisir le type de sucre qu'il consomme (de préférence le bon et non le raffiné). Il ajoute en riant que quatre pouces de plus à sa grandeur seraient les bienvenus !

Questionné sur l'image corporelle malsaine véhiculée dans les médias, Sébastien m'explique qu'il est plutôt préoccupé par le sort des femmes qui vieillissent et à qui nous ne faisons pas beaucoup de place à la télévision.

Le défi des jeunes d'aujourd'hui, selon lui, est de démystifier la croyance que si tu n'es pas célèbre, tu n'es pas quelqu'un. En d'autres mots, cesser d'évaluer sa propre valeur à travers le regard des autres.

Il déplore aussi le fait que les réseaux sociaux permettent la construction d'une fausse image de qui l'on est réellement. Au lieu de toujours présenter une image exagérément positive de soi (qui entretient l'illusion de la perfection), on devrait aussi publier des photos de soi fâché ou avec un œil au beurre noir. Ça, c'est la vraie vie !

Notre rencontre tire à sa fin. Je sens que Sébastien a été authentique, franc dans ses propos et très généreux de son temps.

« C'est peut-être cliché,
mais je pense vraiment
que le bonheur n'est pas
une destination, mais bien
un parcours. »

3%

**Au Québec,
environ 3% des filles
et des femmes âgées
de 13 à 30 ans
(30 000 personnes)
souffrent d'un trouble
de l'alimentation.**

Institut Douglas en santé mentale, 2013.

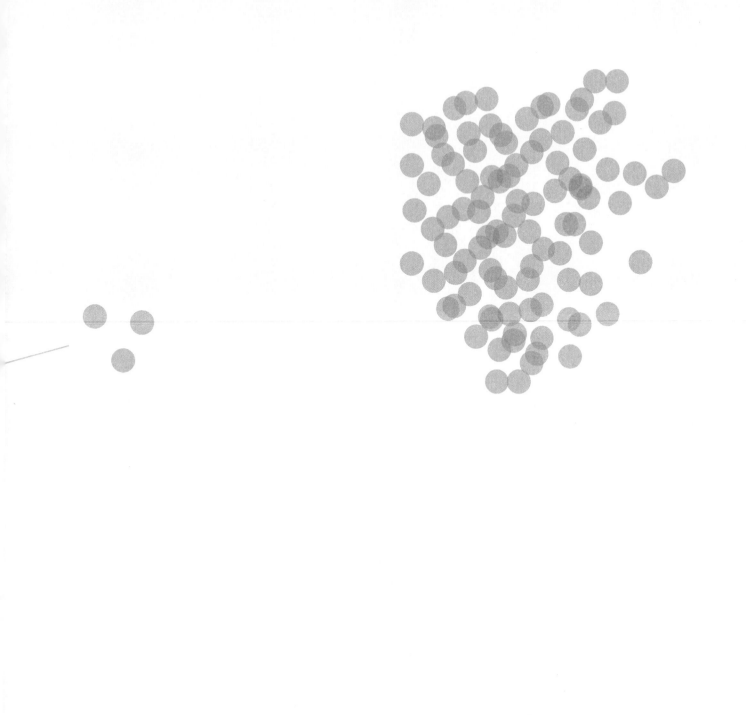

Patricia
Paquin

« Moi, j'ai le bonheur
facile, alors j'ai de
la misère à déterminer
ce qu'est réellement
le bonheur. »

Patricia fait son entrée dans le milieu artistique dès son très jeune âge. Jusqu'à la fin de son adolescence, elle participe à plus d'une cinquantaine de publicités. Plus tard, on retrouve Patricia au petit écran en tant qu'animatrice d'émissions jeunesse. Mais c'est grâce à son rôle de Geneviève dans le populaire téléroman *Chambres en ville*, diffusé de 1989 à 1996, qu'elle prend sa place dans le paysage télévisuel québécois. Après une année à la tête de l'émission *Star Plus* à TVA, dès 1995, elle s'installe pour les onze années suivantes à la barre de *Flash* diffusé à TQS. Par la suite, elle animera pendant six ans, aux côtés de Sébastien Benoît, l'émission *Le bonheur est à quatre heures* sur les ondes de Rythme FM. Elle chapeaute depuis 2006 le magazine féminin *Moi & Cie* et est porte-parole de la Société canadienne de la sclérose en plaques depuis 2003.

Au moment de notre entretien, Patricia a accouché de sa fille Florence il n'y a que quelques semaines. Elle me semble calme et ouverte à discuter de sa relation avec l'alimentation. Relation qu'elle décrit d'emblée comme étant saine.

Elle se qualifie d'épicurienne et me confie avoir été élevée dans le sens de la fête, ce qui implique inévitablement être connecté avec le plaisir de manger ! L'alimentation prend une grande place dans sa vie justement parce qu'elle est associée à la notion de plaisir. Lorsque je la questionne plus spécifiquement sur certains de ses comportements liés à l'alimentation, elle me révèle ne pas calculer, ne pas vivre de culpabilité, mais faire des choix alimentaires judicieux.

Depuis qu'elle partage sa vie avec son amoureux, Louis-François Marcotte, elle mange différemment; notamment plus de salades et de légumes grillés. Son ami et ancien coanimateur, Sébastien Benoît, semble également l'avoir influencée avec ses habitudes « ultra méga santé ».

Patricia prend maintenant un réel plaisir à bien manger. Elle est une adepte de collations (yogourt, noix, lait) qu'elle trimballe toujours avec elle. Elle s'accorde des gâteries à l'occasion. Elle me dit avoir un faible pour les chips et aimer en grignoter régulièrement au chalet.

Elle me confie avoir déjà entrepris un régime amaigrissant, il y a de cela plusieurs années. Elle désirait alors correspondre au moule du moment. Elle admet qu'elle était alors minuscule, mais l'inconfort lié à son image corporelle était présent. Heureusement, cet inconfort semble avoir disparu.

Sa définition d'une relation saine avec l'alimentation ? Pas trop loin de ce qu'elle vit actuellement : ne pas ressentir de culpabilité, ne pas calculer, ne pas tomber dans l'excès et rester dans la joie et le plaisir de manger. Je ne peux qu'acquiescer.

Dans son rôle de maman, Patricia éprouve un réel sentiment de fierté lorsque ses enfants mangent bien. Elle est consciente de son rôle quant à la relation que ses enfants développent avec l'alimentation. Elle tente de maintenir l'équilibre entre les choix santé et les gâteries qu'elle n'interdit pas.

Comment se sent-elle à l'égard de son corps ? Elle considère qu'il existe une étroite relation entre prendre soin de soi et se sentir bien. Pour Patricia, la féminité passe beaucoup par le souci d'être coquette et non par la minceur. Dans le cadre des sessions de photos auxquelles elle participe mensuellement pour la une de son magazine *Moi & Cie*, elle reconnaît avoir la chance de se voir régulièrement magnifiée (autobronzant, faux cils, mise en plis, maquillage) et cela lui procure un grand bien. De retour dans son quotidien (qui ressemble à celui de toutes les femmes de son âge), elle me dit être à l'aise avec son corps et se laisser de plus en plus aller... par exemple à porter un bikini !

« Le bien-être, pour moi, c'est... café, *cocooning*, regarder la télévision avec mes enfants un samedi matin en pyjama. »

Depuis maintenant six ans, Patricia fait du yoga chaud deux fois par semaine. Elle me confie adorer son yoga qui est devenu essentiel dans sa semaine ! Elle fait également de la course à pied, mais toujours dans une optique de plaisir. C'est pour cette raison qu'elle aime courir sans musique afin d'entendre les oiseaux, le vent dans les arbres et le clapotis de l'eau.

À l'endroit des critères de beauté actuels et de la pression culturelle, elle semble calme. Patricia se sent la « *girl next door* » et vit bien avec sa perception de ne pas correspondre parfaitement aux idéaux du milieu culturel dans lequel elle évolue.

Étant donné son étroite implication dans le magazine *Moi & Cie*, je la questionne avec intérêt sur sa perception des façons de véhiculer une image corporelle plus saine. Elle me dit d'emblée s'efforcer de toujours traiter du sujet de façon équilibrée. Toutefois, elle me fait part d'une réalité : lorsque le magazine aborde les diètes, ses ventes augmentent. Selon elle, il reste énormément de travail à faire.

En discutant avec elle du défi que cette réalité pose pour les jeunes filles, je la sens perplexe et même découragée. Selon Patricia, l'image actuelle de la femme est souvent vulgaire et condescendante. Conséquemment, les adolescentes d'aujourd'hui ont peu de modèles de jeunes femmes bien dans leur peau.

En tant que femmes, nous avons toutes le pouvoir de devenir un modèle et une inspiration afin de favoriser une saine estime de soi corporelle chez une jeune fille près de nous !

« Quand je vois des gens beaux, ce sont des personnes qui rayonnent et qui dégagent une joie de vivre. »

Alex
Perron

« Mes bonheurs
à moi ont rarement
été quelque chose
de flamboyant. »

À la fin des années 80, Alex Perron
termine sa formation en théâtre à
l'Université Laval. En 1995, il poursuit
sa formation à l'École nationale de
l'humour jusqu'en 1996, où, avec deux
amis finissants, il fonde *Les Mecs
comiques*. Par la suite, il sera très
présent sur la scène artistique : autant
à la radio, à la télévision, dans la presse
écrite que sur scène. Plus récemment,
Alex est collaborateur à l'émission
C'est juste de la TV, chroniqueur dans
le cadre de l'émission *Véro Show* sur
les ondes de Rythme FM et rédige un
blogue hebdomadaire sur le site
« En vedette ». Depuis l'automne 2014,
Alex coanime l'émission matinale
Ça commence bien!, diffusée tous
les matins sur la chaîne V.

« Le bien-être, c'est être bien avec soi. Mais un bien-être qui évolue... J'aime que ça évolue ! »

Résumé d'une rencontre des plus sympathiques avec Alex Perron. Chaleureux, authentique et très drôle, Alex est un homme qui s'assume et qui ne s'empêche de rien. Enfant unique et originaire de la campagne, Alex vient d'une famille où la notion d'interdit ne lui a jamais été inculquée et c'est tant mieux !

L'alimentation constitue un réel plaisir dans la vie d'Alex et s'imposer des limites à cet égard deviendrait tout simplement une source extrême de frustration. Il me confie être un adepte du *fast food*, mais tout en sachant faire la part des choses. Il trouve d'ailleurs irritant le discours moralisateur et culpabilisant de certains nutritionnistes. Il ne peut s'empêcher d'y déceler une forme de jugement. À ses yeux, la notion de plaisir se traduit par des petits moments où l'on se gâte et pour lesquels il ne vaut pas la peine de se sentir coupable.

En ce qui a trait à ses habitudes alimentaires personnelles, Alex m'explique qu'il fonctionne beaucoup au jour le jour et qu'il cuisine peu. Si l'occasion se présente, il achètera des produits biologiques, mais sans plus. Tout comme pour les aliments *plaisir*, Alex trouve que la pression à manger bio est fréquemment moralisatrice. À son avis, il n'est pas nécessairement souhaitable de s'aseptiser en épurant notre alimentation à outrance.

Alex n'a jamais fait de régime amaigrissant ni calculé son alimentation. Il me dit être fasciné par les gens qui sont extrêmement rigides et qui s'imposent des critères élevés. Il m'explique avec conviction que, malgré tout ce que l'on peut entendre, l'apparence physique n'est pas un gage de bonheur total. Au contraire !

En ce qui concerne son image corporelle, Alex se sent bien et vit bien avec son corps, et ce, avec tout ce que ce dernier comporte en points forts et moins forts ! Plus jeune, il admet avoir été plus préoccupé par le fait de séduire. D'autant plus qu'au sein de la culture gaie, une importance démesurée est accordée à l'apparence physique. Il soutient, avec ce que je perçois comme une grande maturité, qu'il faut être conscient de ce que l'on a. Il ajoute alors avec humour que nous avons tous des deuils à faire et que certains combats sont perdus d'avance. Par exemple, malgré l'engouement considérable pour le Botox chez les artistes d'aujourd'hui, Alex me confie ne pas être pour l'instant tenté par ce genre d'intervention.

En tant que personnalité connue, Alex reçoit régulièrement des commentaires sur son apparence – commentaires que les gens ne se permettraient même pas de faire, à son avis, à leurs proches. Je lui reflète qu'il semble avoir fait le deuil de l'unanimité et être en paix avec le fait qu'il puisse déplaire à certains. Il poursuit en déclarant qu'il fait le choix de miser sur se sentir bien plutôt que d'être parfait physiquement. Il considère qu'il a atteint le point où la quête d'en faire toujours plus et mieux n'est plus l'objectif. Il s'inspire maintenant davantage de ce dont il a envie plutôt que de ce qu'il perçoit comme étant les attentes des autres.

Nous abordons par la suite le sujet de l'image corporelle irréaliste véhiculée dans les médias et c'est à ce moment qu'Alex dégage une énergie hautement contagieuse ! Il m'affirme être catégoriquement contre les images retouchées. Selon lui, il faut que les gens fassent plus que simplement critiquer les choix de mannequins avec un corps irréaliste dans les revues. Afin que la situation change, il faut plutôt poser des gestes concrets comme cesser d'acheter ce type de revues.

Plus important encore, cette fausse image parfaite véhiculée dans les médias est celle avec laquelle nos jeunes d'aujourd'hui doivent tenter de se bâtir une saine estime de soi et là il y a un grave problème. Il est donc impératif de démystifier la fausse réalité à laquelle les jeunes sont exposés et de les éduquer sur le fait que la minceur n'est pas associée au succès, au bonheur et à la réussite.

Notre rencontre se termine sur une note inspirante. Merci, Alex, pour cette entrevue riche en réflexions !

« La beauté,
c'est être en paix
avec soi-même
autant à l'intérieur
qu'à l'extérieur. »

Mireille
Deyglun

« Le bien-être, je pense
que c'est la chose qui est
la plus difficile à acquérir.
Heureusement, plus on
vieillit, plus on atteint
le bien-être facilement. »

Mireille connaît une carrière prolifique,
que ce soit comme comédienne ou
animatrice. À la télévision, elle a joué
dans plus d'une vingtaine d'émissions
et est présentement de la série
Mémoires vives à la SRC. Au théâtre,
elle a notamment joué dans les pièces
Elling, *Mambo italiano* et *Petit déjeuner
compris* chez Jean-Duceppe, et à
L'Espace Go dans la création *Les pieds
des anges*. En décembre et en janvier,
elle sera au théâtre Jean-Duceppe
dans *Une heure de tranquillité* et en
tournée un peu partout au Québec de
l'automne 2015 à la fin avril 2016 avec
Les Sorcières de Salem.

« La beauté,
c'est avant tout
un état d'esprit.
Et une question de
style aussi. »

J'ai fait la connaissance de Mireille lors d'une soirée de gala. Je découvre en Mireille une femme intéressante, allumée, drôle et très bonne vivante ! C'est donc avec un grand bonheur que je la retrouve quelques semaines plus tard afin de lui poser mes questions.

Ayant souffert personnellement de boulimie à l'adolescence et au début de l'âge adulte, Mireille est très interpellée par tout ce qui touche les comportements alimentaires et l'image corporelle. Elle m'explique avoir toujours eu un rapport complexe avec l'alimentation. Lorsqu'elle était jeune, elle avait des habitudes d'outremangeuse, et ce, dans le but de combler un grand vide, mais aussi pour attirer l'attention et se démarquer. Son entourage était tout simplement perplexe à l'endroit de cette jeune fille toute mince avec un si grand appétit ! Les habitudes alimentaires de Mireille l'ont cependant rattrapée à la mi-vingtaine lorsqu'elle a commencé à prendre du poids. C'est également à cette période qu'elle a vécu sa première grosse peine d'amour. À ce moment de sa vie, la boulimie est apparue sous la forme d'orgies alimentaires et d'exercice excessif. Résidant alors en France, Mireille amorce une psychothérapie qui lui permettra de guérir de son trouble de l'alimentation.

Même à ce jour, Mireille reconnaît être toujours préoccupée par son poids. D'une part, elle est une vraie épicurienne, ne saute pas de repas et n'a pas d'aliment interdit. Mais d'autre part, elle dit faire attention, sans toutefois basculer dans l'obsession. L'exercice, pratiqué de façon raisonnable, reste important pour elle. De plus, elle s'impose certaines règles alimentaires, par exemple ne pas consommer trop de féculents. Ayant fait plusieurs régimes amaigrissants dans le passé, Mireille est maintenant convaincue de leur inefficacité. Elle adhère plutôt à des habitudes alimentaires méditerranéennes inculquées par sa famille, où l'on cuisinait avec l'huile d'olive et où les fruits, les légumes, la viande et le poisson occupaient une grande place.

Lorsque je questionne Mireille sur son image corporelle, elle me révèle être relativement à l'aise avec son corps. Elle m'avoue être peu préoccupée par l'opinion des autres, mais être, à l'occasion, plutôt sévère envers elle-même. Elle souhaiterait avoir un corps plus ferme et elle s'est juré de ne jamais se laisser aller. Âgée de 57 ans, Mireille ne semble pas du tout habitée par la peur de vieillir. Elle se rappelle d'ailleurs que lorsqu'elle a eu 50 ans, sa mère lui a dit que « la plus belle décennie était la cinquantaine » !

Mireille ne paraît pas affectée par la pression culturelle de rester jeune ou très mince. Elle prône la diversité corporelle, ce qui implique pour elle le fait d'être exposée à des modèles de femmes plus rondes autant que minces. Elle dit aimer la mode et aimer voir des mannequins minces porter de beaux vêtements. Elle précise d'ailleurs que, selon elle, tous les mannequins ne souffrent pas automatiquement d'anorexie.

Malgré les préoccupations qui peuvent par moments l'habiter, Mireille s'est engagée à ne pas discuter poids ou régimes devant sa fille. Elle soutient avec beaucoup d'émotion que, en tant que mères, nous avons un rôle primordial auprès de nos filles. Selon Mireille, l'attitude des mères par rapport à l'image corporelle a un immense impact sur l'image que leurs filles développeront d'elles-mêmes ainsi que sur l'assurance qu'elles acquerront.

« Pour moi, le bonheur, ce sont des moments uniques d'une très grande intensité. »

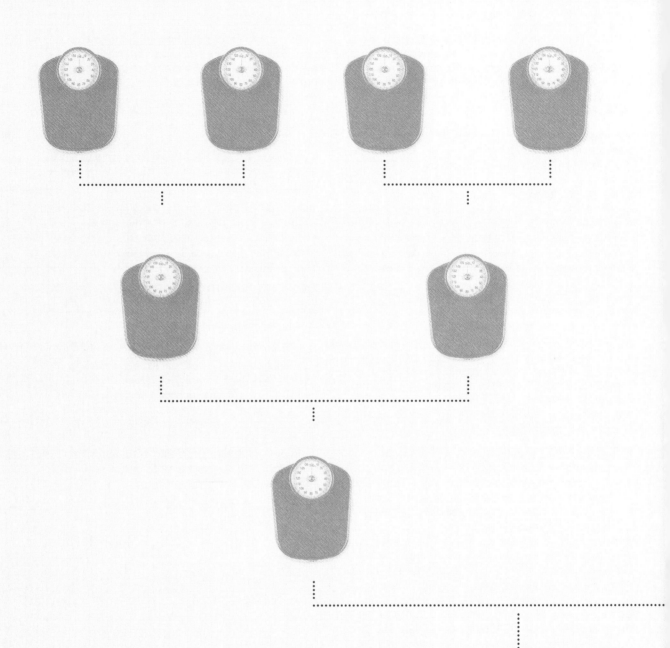

**Notre poids
et notre silhouette
sont grandement
déterminés
génétiquement.**

Muller, M.J., Bosy-Westphal, A.
et S.B. Heymsfield (2010).
« Is there evidence for a set point
that regulates human body weight ? »,
F1000 Med Rep, 2, p. 59.

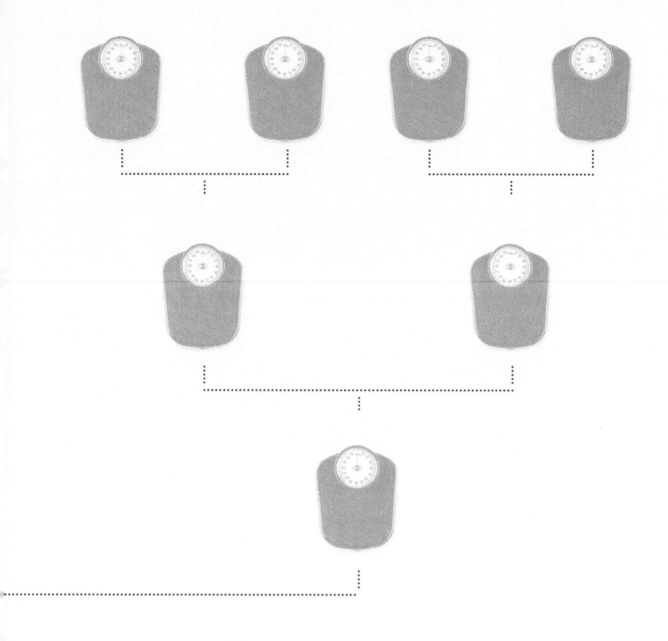

Jeff
Boudreault

« La beauté est quelque chose de singulier, selon chaque personne, selon nos critères de beauté et selon nos références. »

Comédien, auteur et metteur en scène, Jeff Boudreault est un artiste impliqué et actif sur la scène culturelle québécoise depuis plusieurs années. Il est un visage familier de la télévision grâce à ses rôles dans des séries comme *Mémoires vives*, *O* et *La Galère*, ainsi qu'à sa présence dans de nombreuses publicités. Au théâtre, il a participé à plusieurs pièces dont *La déprime*, *Appelez-moi Stéphane* et *Visite libre*. Au cinéma, on a pu le voir dans des films tels que *La Petite Reine*, *Il était une fois les Boys* et *Funkytown*. Il a également signé la mise en scène de différentes pièces humoristiques et a animé l'émission *Légitime dépense* en 2012 et 2013 à Télé-Québec.

Le premier qualificatif qu'utilise Jeff pour décrire sa relation avec l'alimentation est *émotif*. Donc, parfois, manger est étroitement lié aux émotions qu'il ressent, les positives comme les négatives. Par la suite, il enchaîne rapidement en me parlant de la notion de plaisir qu'il associe également à l'alimentation. Jeff aime cuisiner et reconnaît que les moments passés autour d'une table sont habituellement du pur plaisir.

Plus spécifiquement, dans le cas de Jeff, la gestion de l'alimentation à la maison se fait à deux, avec son amoureuse, Catherine. Il mange presque toujours trois repas par jour, achète strictement bio, lit les étiquettes nutritionnelles, consomme rarement des gâteries commerciales et est adepte des produits allégés. Il me confie avoir de temps en temps de la difficulté à manger lentement et à respecter son seuil de satiété. Il avoue avoir une propension pour le *fast food*, qu'il évite la plupart du temps. Aux prises avec des problèmes de foie et une digestion plutôt lente, il se doit de limiter sa consommation d'aliments gras et d'alcool. Il essaie aussi de doser sa consommation de féculents, qui le font se sentir inconfortable.

À l'exception d'un bref épisode axé sur la restriction alimentaire et l'exercice intense, à l'époque de sa sortie du cégep de Jonquière, Jeff n'a jamais adhéré à un régime amaigrissant. Il est cependant devenu important pour lui, surtout à l'amorce de la trentaine, d'être plus consciencieux dans ses choix alimentaires. Il admet aussi que le fait d'être comédien à la télévision contribue à son souci d'une image corporelle « acceptable ». Toutefois, il mentionne que même s'il pratiquait un autre métier, il prendrait soin de lui en bonne partie par respect pour son couple et son amoureuse.

Je constate un certain paradoxe dans la relation que Jeff entretient avec l'alimentation émotif. D'une part, il se soucie de sa santé et de son bien-être en faisant des choix alimentaires judicieux, prend plaisir à bien manger et ne se pose pas trop de questions. D'autre part, il vit aussi ce qu'il appelle « un éternel combat » afin de bien manger et s'abstenir des « mauvais » aliments. Il affirme que s'il se laissait aller, il aurait sans doute constamment envie de manger de ces mauvais aliments. Malgré ce paradoxe, je sens que le plaisir et l'envie de vivre un bon moment autour de la table priment toujours !

En ce qui concerne la relation qu'il entretient avec son image corporelle, Jeff me confie avoir sans répit vécu un combat avec son poids. Enfant, il était plutôt rond et ses habitudes alimentaires, selon ses dires, pas toujours exemplaires. Adolescent, il a travaillé dans le domaine de la restauration rapide, ce qui a été associé à un gain de poids. Poids qu'il a perdu par la suite.

Parallèlement à cela, Jeff admet avoir été assez sédentaire depuis cinq ou six ans. Il dit se sentir mieux lorsqu'il est en forme et qu'il bouge. Il apprécie les aspects santé, mobilité et flexibilité que l'exercice physique procure. Il entretient également des rêves à réaliser dans le futur accompagné de son amoureuse et il souhaiterait être en pleine forme physique pour vivre tout cela.

De quelle façon gère-t-il la pression culturelle ? Il m'explique qu'à ce stade de sa vie, il a une femme qu'il aime et trois beaux enfants. Il pense donc surtout à sa santé et c'est ce qui est important pour lui. Il me dit qu'il trouve bien plus agréable de jouer dehors au chalet que d'aller s'enfermer dans un gymnase !

J'apprécie l'authenticité de Jeff lorsque je le questionne sur les aspects qu'il croit avoir à travailler. Il aimerait bouger plus et surtout se libérer du combat qui se joue avec sa constante envie des « mauvais » aliments. Il voudrait modifier ses habitudes alimentaires pour vrai, et me confie en souriant qu'il ne s'assume pas à 100 %, et je le cite : « Disons que mon jupon dépasse un peu ! » Ce que je comprends, c'est que malgré tout, Jeff reste un homme qui profite de la vie.

Comment contribuer à faire avancer la cause d'une image corporelle plus saine et diversifiée ? Selon Jeff, c'est une question de confiance en soi et de perception de ses propres forces et faiblesses. Il est essentiel que les jeunes s'acceptent comme ils sont. Le plus grand défi pour les jeunes est de démystifier ce qui est vrai de ce qui est faux. Il me lance en riant : « Quand tu reçois une lettre, qu'est-ce qui est le plus important… l'enveloppe ou la lettre ? » Selon Jeff, tout part de la maison et des valeurs inculquées par les parents.

Je quitte Jeff empreinte de multiples réflexions… Il semble que, tant pour les hommes que pour les femmes, la relation entretenue avec l'alimentation et l'image corporelle soit d'une grande complexité.

« Le bien-être et le bonheur ne sont pas un but à atteindre. Il s'agit plutôt d'un état. »

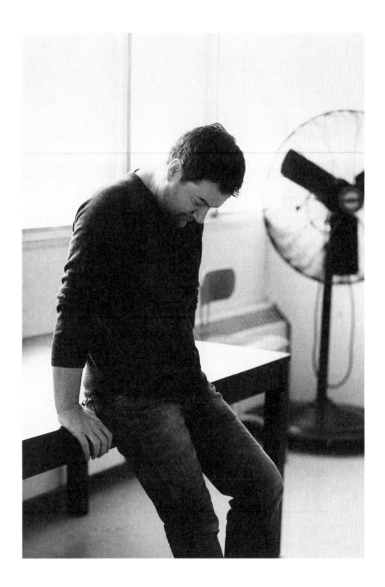

Debbie
Lynch-White

« La beauté, pour moi, c'est ce qui se passe en dedans, ce qui se passe dans les yeux d'une personne. »

Debbie termine ses études à l'École de théâtre du cégep de Saint-Hyacinthe, cuvée 2010. Deux ans plus tard, sa carrière est propulsée alors qu'elle décroche le rôle de Nancy Prévost dans le très populaire téléroman *Unité 9*. Elle s'illustre aussi au théâtre dans plusieurs pièces telles que *Le Vertige* avec le Théâtre de l'Opsis, *Sunderland* chez Jean-Duceppe et plus récemment dans *J'accuse* au Centre du Théâtre d'Aujourd'hui. Elle devient, en 2011, cofondatrice du Théâtre du Grand Cheval qui produira *Chlore*, une œuvre d'abord présentée à La Petite Licorne en octobre 2012, et qui jouira d'un tel succès qu'elle sera reprise en janvier 2014 au Théâtre d'Aujourd'hui. Une création originale dont la jeune compagnie peut être fière.

« Le bien-être, c'est de se sentir bien dans son corps, peu importe le corps qu'on a. »

Ma rencontre avec Debbie est tout simplement énergisante. Dotée d'un sens de l'humour décapant et d'une franchise rafraîchissante, Debbie accepte de me parler de son rapport au corps et à l'alimentation avec beaucoup d'authenticité.

Debbie m'explique qu'elle est née « *oversized* », qu'elle a toujours été costaude. Du côté de son père, ils sont tous grands et forts. Bien qu'elle se soit fait taquiner à l'école, elle ne s'est jamais sentie à part. Ses parents l'ont toujours aimée pour ce qu'elle était et c'est ce qui a fait qu'elle ne s'est jamais dévalorisée. Elle a su accepter son corps, l'apprécier et en être fière.

Malgré cette bonne dose d'acceptation, Debbie me confie que la période de l'adolescence fut plus laborieuse. Plutôt « *tomboy* » à cette époque, le passage à un corps de femme et une plus grande conscience du regard des autres ont fait en sorte qu'elle a tenté de se fondre dans la masse en changeant son *look.* Heureusement, lorsque par la suite elle est entrée à l'école de théâtre, elle a rencontré des gens ouverts et intéressants qui l'ont poussée à revenir vers son style à elle. Maintenant âgée de 29 ans, Debbie dit se sentir

indifférente à la pression culturelle liée au stéréotype de beauté qui nous est imposé. Pour elle, il y a autant d'opinions que d'êtres humains. Elle me dit que ce qu'il y a d'important, c'est « que tu sois toi ». Elle poursuit en m'expliquant que c'est elle le *boss* et ce qui est essentiel pour elle est cette recherche constante de cohérence et d'authenticité entre ce qu'elle est et ce qu'elle voit d'elle-même. Elle affirme qu'elle ne veut surtout pas jouer de *game*.

Debbie me confie ne pas avoir peur de vieillir et que, justement, elle aime sentir que son regard sur la vie grandit et évolue. Quant aux multiples méthodes qui s'offrent à nous pour tenter de freiner le vieillissement, elle me dit trouver cela terriblement triste. Selon elle, la confiance en soi ne vient pas du fait d'avoir un beau nez ou de beaux seins. Et ceux qui le pensent doivent, à ses yeux, porter un grand vide intérieur.

Cette inspirante force de caractère s'accompagne chez elle d'une impressionnante force physique. Debbie a fait du sport toute sa vie et est en grande forme physique. Elle s'entraîne au gym, nage et joue au *ultimate frisbee.* Elle me raconte d'ailleurs que, lorsqu'elle est au gym, elle prend un malin plaisir à défaire le stéréotype voulant qu'une personne costaude ne soit pas en forme. Je me fais la réflexion que j'aimerais bien être une petite mouche pour l'observer pousser ses 495 livres avec ses jambes devant les sceptiques autour d'elle !

En ce qui a trait à l'alimentation, Debbie constate qu'il est difficile dans son métier d'avoir un bon équilibre… et depuis qu'elle a terminé l'école de théâtre, elle recherche cet équilibre. Elle me dit avoir de la difficulté à gérer son alimentation. Elle ne mange pas à des heures régulières et malgré qu'elle adore cuisiner, elle en a rarement le temps. Toutefois, depuis un moment, elle tâche d'amorcer des changements. Elle a instauré une routine alimentaire, dose mieux ses portions et mange plus sainement. Ses motivations ? Augmenter son niveau d'énergie, prendre davantage soin d'elle et aussi stabiliser son poids. Elle m'explique que, en ne mangeant pas à des heures régulières, elle « tombait » parfois dans certains aliments et que cela pouvait influencer son poids à la hausse.

Debbie est consciente qu'elle représente pour plusieurs femmes un modèle inspirant. Ce qu'elle souhaite est que les femmes aient leur propre modèle de beauté et qu'elles ne sentent pas la pression de correspondre au modèle unique qui nous est proposé. De son côté, elle essaie de faire changer les choses en étant elle-même, mais aussi en participant à briser les stéréotypes. Comme elle me le dit si bien, « une grosse peut vivre une folle histoire d'amour et être bien dans sa peau ».

Elle souhaite que nos jeunes soient exposés à des modèles de beauté différents et qu'ils cessent de vivre à travers le regard des autres. « Tu dois trouver ce que tu aimes, te foutre de ceux qui tentent de te décourager et foncer ! » Sur ce plan, elle réalise qu'elle porte souvent le chapeau de modèle à suivre et que cela lui procure un certain pouvoir d'influence… et elle accepte ce rôle. Elle reçoit d'ailleurs régulièrement des messages d'adolescentes et de femmes qui témoignent du fait qu'elle a contribué à de réels changements dans leur vie. Et je comprends pourquoi ! Merci Debbie.

« On a le luxe
de construire notre
bonheur comme on
le veut et moi, mon bonheur,
je sais qu'il ne ressemble
pas à ce qu'on essaie de
nous vendre. »

Marc
Hervieux

« Quand je pense à la beauté, je vois d'abord la vie en général : la vie que je mène, la chance que j'ai de la partager avec mes filles et ma blonde, et les gens avec qui je travaille, crée et performe. »

Depuis 2009, Marc a grandement gâté le public québécois avec huit albums et ses nombreux spectacles. Artiste polyvalent et toujours généreux, Marc a chanté sur les scènes internationales les plus prestigieuses, de Saint-Pétersbourg à Séoul en passant par Paris. Il a aussi uni sa voix à celle d'artistes bien connus de chez nous, dont Gilles Vigneault, Ginette Reno et Paul Daraîche. Il a tenu la vedette dans la comédie musicale *Sister Act* et a animé, aux côtés de sa complice Marie-Josée Taillefer, le magazine télé *Cap sur l'été* diffusé à Radio-Canada pendant deux ans. En parallèle avec ses autres projets, Marc continue d'animer l'émission radiophonique *Mes plaisirs*, diffusée le week-end en matinée sur les ondes de Radio-Classique. L'album *Hervieux* est le huitième disque du ténor.

Bon vivant, sûr de lui et très authentique dans ses réponses, Marc me confie que s'il n'était pas chanteur, il serait cuisinier. Marc dit littéralement « tripper » sur la bouffe. Il cuisine beaucoup et profite pleinement des moments en famille autour du repas, moments de réunion et de partage. Marc aime bien manger et privilégie la cuisine méditerranéenne. Il adore le sucre, mais tente de modérer la consommation de celui-ci. Depuis un certain temps, il fait ce qu'il appelle « attention »; c'est-à-dire qu'il tâche de respecter une structure alimentaire, grignote le moins possible et s'efforce d'écouter sa faim.

Marc me révèle qu'il a toujours été enrobé et que cela ne l'a jamais préoccupé de façon démesurée. Il s'assume et il est bien dans son corps. Selon lui, si une personne a l'air bien dans sa peau et non négligée, sa silhouette a peu d'importance. À quelques reprises, il a entrepris des régimes amaigrissants, mais il tend plutôt maintenant à trouver un équilibre. Il n'est pas sans mentionner que, lorsqu'il est sur la route, maintenir une structure alimentaire constitue un réel défi ! Quant à l'activité physique, Marc constate qu'il doit avoir l'impression de jouer afin d'être motivé à pratiquer un sport quelconque.

Je le questionne sur la pression culturelle liée à l'image corporelle que nous ressentons tous, mais qui est sans conteste accentuée chez les personnalités publiques. Marc m'explique qu'il est conscient de la pression culturelle, mais qu'il n'y pense pas de façon maladive. Il m'avoue même, avec un détachement et un calme surprenants, que certaines critiques ont déjà mis plus d'accent sur son apparence physique que sur ses performances !

Questionné sur la peur de vieillir, Marc déclare plutôt être dérangé par ceux qui en ont peur. Il trouve que, comme société, nous entretenons un rapport malsain avec le fait de vieillir et la vieillesse. Selon lui, il faut « vivre et laisser vivre », car cela fait partie de l'évolution normale. Pour Marc, la santé est primordiale et c'est essentiellement pour cette raison qu'il vise un meilleur équilibre alimentaire. Papa de trois filles, il me confie avec humour vouloir être en mesure de peindre l'appartement de chacune d'entre elles lorsqu'elles quitteront la maison ! Le décès de son père, à l'âge de 64 ans, l'a également fait beaucoup réfléchir sur l'importance des bonnes habitudes de vie.

Marc est particulièrement interpellé par le défi que la pression culturelle pose aux jeunes filles d'aujourd'hui. Selon lui, nous devons enseigner à nos filles à être lucides à propos de ce qui les entoure et les aider à résister à la pression sociale. Il précise que cela est sans équivoque le rôle des parents et que ces derniers ne doivent pas se déresponsabiliser en déléguant cette tâche à d'autres, à l'école par exemple.

Dans un passé pas si lointain, Marc a été infographiste. Il déplore notamment les photos retouchées qui font la promotion d'un modèle de beauté irréaliste. Il souligne le fait que nous en sommes venus à accorder pratiquement plus d'importance à l'apparence qu'au réel talent. « Une chanteuse ne chante pas mieux parce qu'elle est à moitié nue ! » Voilà, c'est dit. Merci, Marc, pour cette agréable entrevue.

« Comme dans la chanson de Dumas : "Le bonheur revient, le bonheur repart." J'aime cette phrase-là. »

« Le bien-être est quelque chose que l'on atteint à différents moments dans sa vie, puis on le perd et on le retrouve... comme un vieux chum. »

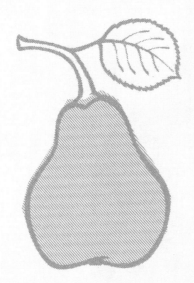

**90%
des femmes
n'aiment
pas leur
silhouette.**

Hutchison, M.G. (1985).
«Transforming body image :
Learning to love the body you have»,
The Crossing Press, New York.

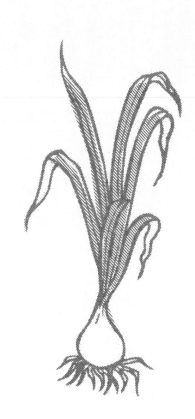

Sophie Prégent

« La beauté,
ça évoque pour moi
à la fois le bonheur
et la pression. »

Sophie fut révélée au grand public grâce à son rôle dans le populaire téléroman *Le retour*. Depuis sa sortie de l'École nationale de théâtre du Canada en 1990, Sophie a tenu plusieurs rôles à la télévision, notamment dans *Jamais deux sans toi, Scoop, Catherine, Lance et compte, Rumeurs, Nos étés, Miss Météo, Le gentleman* et *Un sur deux*. Plus récemment, nous avons pu la voir dans les téléséries *30 vies, Mensonges* et *Nouvelle adresse*. Sophie a eu l'occasion de se produire à maintes reprises au théâtre dans les pièces *Tristan et Yseult* et *Cyrano de Bergerac*. Elle fut également de la distribution du *Misanthrope* de Molière, d'*Antigone* et de *La seconde surprise de l'amour*. Au cinéma, nous avons pu la voir dans le film *Un crabe dans la tête, Miss Météo, Les 3 p'tits cochons, Piché: entre ciel et terre* ainsi que dans *Pee Wee*. Sophie a aussi coanimé l'émission quotidienne *Tout un retour* sur les ondes de CKOI de 2009 à 2011. Elle est présidente de l'Union des artistes depuis 2013.

Sophie impressionne par sa force de caractère et sa transparence. C'est donc avec grand plaisir et une bonne dose d'humour que j'ai bavardé avec elle.

Sophie sait jusqu'où l'obsession du contrôle du corps peut mener puisqu'elle a souffert d'anorexie et de boulimie à l'adolescence. Elle avait alors reçu des commentaires parce qu'elle avait pris du poids, ce qui avait déclenché son trouble de l'alimentation. De plus, cette période coïncidait avec la séparation de ses parents et un déménagement. Elle me confie avoir alors ressenti un grand déracinement et une perte de maîtrise de sa vie. « Tu tentes donc d'exercer du contrôle sur quelque chose qui t'appartient : toi, ton corps. »

Comment s'en est-elle sortie ? Elle n'a pas reçu de traitement, mais a découvert quelque chose qui la passionnait dans la vie : le théâtre. Elle m'explique avoir eu le sentiment d'avoir pris toute cette énergie négative et de l'avoir canalisée dans une passion positive. Selon elle, si les gens se trouvaient des passions lorsqu'ils sont jeunes, cela en sauverait plusieurs.

Sophie est guérie de son trouble de l'alimentation depuis longtemps, mais reconnaît avoir conservé un côté obsessionnel quant à son rapport au corps et à l'alimentation. Elle me confie avec humour qu'elle établit constamment des bilans quotidiens de ce qu'elle consomme. Elle se laisse rarement aller à manger des gâteries, sauf les week-ends. Elle s'est privée toute sa vie. Elle ne fait jamais d'abus et admet d'ailleurs que ça la poursuivra sûrement jusqu'à sa mort !

Du même coup, elle est soucieuse de ne pas rebasculer dans la maladie. Elle me raconte qu'il peut arriver qu'elle mange quelque chose et se sente coupable par la suite. Et elle déteste se sentir coupable quand elle mange ! Elle déclare avec conviction qu'elle ne doit pas se laisser aller vers ces pensées-là, car elle sent qu'elle pourrait glisser vers des comportements malsains. Sophie a tellement souffert de vivre dans l'obsession qu'elle a beaucoup de mal à concevoir que cela puisse refaire surface dans sa vie. Elle veut se sentir bien et semble comprendre et connaître la zone dans laquelle elle se sent en équilibre.

Sophie aime cuisiner et c'est ce qui fait que le plaisir l'emporte plus fréquemment sur le contrôle. Elle affirme qu'il y a de tout chez elle : des desserts faits maison autant que des gâteries commerciales. Ces dernières sont surtout pour son fils, mais elle m'avoue se permettre, elle aussi, d'en prendre à l'occasion.

Quant au rapport qu'elle entretient avec son corps, Sophie sent qu'avec la pression qui existe dans son métier, elle a continuellement une épée de Damoclès au-dessus de la tête. Elle admire les gens, comme l'actrice Kathy Bates, qui réussissent à faire fi de leur apparence et à être libres. Sophie m'avoue mordre au stéréotype de beauté comme un vrai poisson. Elle dit ne pas avoir de recul et tenter de faire son chemin par rapport à cela. Pour être bien, elle soutient qu'il faut savoir lâcher prise et, surtout, se doter d'un grand sens de l'humour. Elle tâche donc de s'éloigner de cette pression culturelle du mieux qu'elle peut. Chez elle, dans son quotidien, elle aime être au naturel et déconnecter du monde de l'apparence.

« Le bonheur, pour moi, veut dire "plénitude".. »

À l'âge de 50 ans, Sophie entrevoit le fait de vieillir de façon mitigée. D'une part, vieillir signifie qu'elle avance et qu'elle évolue. D'autre part, dans un monde où l'on valorise la jeunesse à l'extrême, vieillir n'est assurément pas facile… Que pense-t-elle des moyens pour freiner le vieillissement ? Elle m'explique que depuis toujours les gens se teignent les cheveux ou se procurent des dentiers pour améliorer leur apparence. Et selon elle, il n'y a rien de mal à vouloir mieux paraître si cela fait en sorte que l'on se sent mieux.

Je crois sincèrement que plusieurs femmes se sentent prises dans le même engrenage que celui si bien décrit par Sophie. J'admire beaucoup Sophie pour sa franchise et pour son regard lucide et sans prétention sur elle-même, mais aussi sur une obsession de société. Merci Sophie.

« Le bien-être, c'est juste un état d'apesanteur, une liberté. »

Remerciements

Plusieurs personnes ont contribué à la réalisation de ce fabuleux projet qu'est *Miroir Miroir*...

Tout premièrement, MERCI à Annie Tonneau, directrice aux éditions La Semaine, d'avoir cru en moi et d'avoir pu donner vie au livre *Miroir Miroir*.

MERCI aux 30 personnalités qui m'ont fait confiance en partageant leurs expériences et leurs confidences. Ce projet n'existerait pas sans votre générosité et votre ouverture. Merci d'avoir cru au livre et aussi en moi !

Un énorme MERCI à Maude Chauvin, photographe. Talentueuse, généreuse et authentique Maude... Je remercie la vie que nos chemins se soient croisés. Tu es une femme, une collaboratrice et maintenant une amie extraordinaire. Sous l'œil de ta caméra, chaque personne s'est laissée porter par ton talent, ta bienveillance et ta bonne humeur contagieuse. Je te remercie d'avoir risqué l'aventure avec moi...

Un MERCI bien particulier à Jean-Sébastien Ouellet, producteur, visionnaire et ami. Merci d'avoir cru et pris part à la naissance du projet *Miroir Miroir*. Ton soutien et tes conseils m'ont été très précieux. Longue vie au projet *Miroir Miroir*.

MERCI à Catherine Gravel, directrice photo, pour ta rigueur et ton œil créatif indispensable à la réalisation des magnifiques photos du livre.

MERCI à Éric Dubois, designer graphique, pour ton talent, tes idées et ta patience malgré mes demandes et mes humeurs changeantes.

Un MERCI tout particulier à Mylène Senécal, reine des communications, qui m'accompagne depuis le début de cette aventure. Tu es une femme, amie et cousine extraordinaire.

Un très gros MERCI à Gérald Bélanger, maquilleur au talent fou. Tu as su mettre en valeur chaque personne, tout en conservant l'authenticité et l'unicité de chacune. Merci d'avoir cru au projet *Miroir Miroir*. Je me considère privilégiée de t'avoir comme ami.

Finalement, le plus gros des MERCIS à ceux qui m'ont soutenue au quotidien dans l'aventure *Miroir Miroir*... Mon amoureux Gilbert, ma grande fille Émilie et mon petit homme Nicolas. Merci pour vos fous rires, vos câlins et tous ces moments de bonheur passés avec vous. Votre présence dans ma vie a rendu ces derniers mois plus faciles et plus doux. Je vous aime.